4

NÓS MATÁMOS
O CÃO-TINHOSO

LUÍS BERNARDO HONWANA

NÓS MATÁMOS
O CÃO-TINHOSO

5ª edição

Edições Afrontamento

Título: Nós matámos o Cão-Tinhoso

Autor: Luís Bernardo Honwana

© 1972, Luís Bernardo Honwana e Edições Afrontamento, Lda.

Edição: Edições Afrontamento, Lda. / Rua de Costa Cabral, 859 / Porto

Capa: Ângela Melo, sobre fragmento de «Sábado à noite»,
   pintura de Jean-Michel Basquiat

Colecção: Fixões / 18

N.º de edição: 306

ISBN: 972-36-0546-5

Depósito Legal: 158493/00

Execução Gráfica: Rainho & Neves, Lda. / Santa Maria da Feira

5ª edição, Novembro de 2000

NÓS MATÁMOS
O CÃO-TINHOSO

O Cão-Tinhoso tinha uns olhos azuis...

O Cão-Tinhoso tinha uns olhos azuis que não tinham brilho nenhum, mas eram enormes e estavam sempre cheios de lágrimas, que lhe escorriam pelo focinho. Metiam medo aqueles olhos, assim tão grandes, a olhar como uma pessoa a pedir qualquer coisa sem querer dizer.

Eu via todos os dias o Cão-Tinhoso a andar pela sombra do muro em volta do pátio da Escola, a ir para o canto das camas de poeira das galinhas do Senhor Professor. As galinhas nem fugiam, porque ele não se metia com elas, sempre a andar devagar, à procura de uma cama de poeira que não estivesse ocupada.

O Cão-Tinhoso passava o tempo todo a dormir, mas às vezes andava, e então eu gostava de o ver, com os ossos todos à mostra no corpo magro. Eu nunca via o Cão-Tinhoso a correr e nem sei mesmo se ele era capaz disso, porque andava todo a tremer, mesmo sem haver frio, fazendo balanço com a cabeça, como os bois e dando uns passos tão malucos que parecia uma carroça velha.

Houve um dia que ele ficou o tempo todo no portão da
Escola a ver os outros cães a brincar no capim do outro lado
da estrada, a correr, a correr, e a cheirar debaixo do rabo uns
aos outros. Nesse dia o Cão-Tinhoso tremia mais do que
nunca, mas foi a única vez que o vi com a cabeça levantada,
o rabo direito e longe das pernas e as orelhas espetadas de
curiosidade.

Os outros cães às vezes deixavam de brincar e ficavam a
olhar para o Cão-Tinhoso. Depois zangavam-se e punham-
-se a ladrar, mas como ele não dissesse nada e só ficasse para
ali a olhar, viravam-lhe as costas e voltavam a cheirar
debaixo do rabo uns aos outros e a correr.

Duma dessas vezes, o Cão-Tinhoso começou a chiar com
a boca fechada e avançou para os outros quase que a correr,
mas com a cabeça muito direita e as orelhas mais espetadas
do que nunca. Quando os outros se viraram para ver o que
ele queria, teve medo e parou no meio da estrada.

Os outros cães ficaram um bocado a pensar no que
haviam de fazer por ele estar a olhar para eles daquela
maneira. É que o Cão-Tinhoso queria ir meter-se com eles.

Depois o cão do Senhor Sousa, o Bobí, disse qualquer
coisa aos outros e avançou devagar até onde estava o Cão-
-Tinhoso. O Cão-Tinhoso fingiu não ver e nem se mexeu
quando o Bobí lhe foi cheirar o rabo: olhava sempre em
frente. O Bobí, depois de ficar uma data de tempo a andar em
volta do Cão-Tinhoso, foi a correr e disse qualquer coisa aos
outros — o Leão, o Lobo, o Mike, o Simbi, a Mimosa e o Lulu
— e puseram-se todos a ladrar muito zangados para o Cão-
-Tinhoso. O Cão-Tinhoso não respondia, sempre muito direito, mas eles zangaram-se e avançaram para ele a ladrar
cada vez mais de alto. Foi então que ele recuou com medo, e
voltando-lhes as costas, veio para a Escola, com o rabo todo
enfiado.

Quando passou por mim ouvi-o a chiar com a boca fechada e vi-lhe os olhos azuis, cheios de lágrimas e tão grandes a olhar como uma pessoa a pedir qualquer coisa sem querer dizer. Mas ele nem olhou para mim e foi pela sombra do pátio da Escola, sempre com a cabeça a fazer balanço como os bois e a andar como uma carroça velha, para o canto das camas de poeira das galinhas do Senhor Professor.

Os outros cães ainda ficaram um bocado a ladrar para o portão da Escola, todos zangados, mas voltaram para o capim do outro lado da estrada para continuar a correr, a rebolar, a fingir que se mordiam uns aos outros, a correr, a correr e a cheirar debaixo do rabo uns dos outros.

De vez em quando o Bobí olhava para o portão da Escola e, lembrando-se do Cão-Tinhoso, punha-se a ladrar outra vez. Os outros, ao ouvi-lo, deixavam de brincar e punham-se também a ladrar, muito zangados, para o portão da Escola.

O Cão-Tinhoso tinha a pele velha, cheia de pelos brancos, cicatrizes e muitas feridas. Ninguém gostava dele porque era um cão feio. Tinha sempre muitas moscas a comer-lhe as crostas das feridas e quando andava, as moscas iam com ele, a voar em volta e a pousar nas crostas das feridas. Ninguém gostava de lhe passar a mão pelas costas como aos outros cães. Bem, a Isaura era a única que fazia isso.

O Quim disse-me um dia que o Cão-Tinhoso era muito velho, mas que quando ainda era novo devia ter sido um cão com o pelo a brilhar como o do Mike. O Quim disse-me também que as feridas do Cão-Tinhoso eram por causa da guerra e da bomba atómica, mas isso é capaz de ser pêtá. O Quim diz muitas coisas que a gente nem pensa que podem não ser verdadeiras, porque quando ele as conta a gente fica tudo de boca aberta. A malta gosta de ouvir o Quim a contar

coisas de outras terras e os filmes que vai ver lá em Lourenço
Marques, no Scala, e as coisas do El Índio Apache a jogar
luta-livre e a fazer tourada, e aquilo que El Índio Apache fez
ao Zé Luís no Continental. O Quim diz que El Índio Apache
só não vai ao focinho ao Zé Luís porque não quer.

O Quim disse-me isso de o Cão-Tinhoso ser muito velho
quando um dia o vimos a bocejar sem dentes na boca. Foi
nesse dia que me contou a história da bomba atómica com os
japoneses pequeninos a morrer todos que era uma beleza e
o Cão-Tinhoso a fugir depois de ela rebentar e a correr uma
distância monstra para não morrer. O Quim não me contou
a história toda logo de uma vez e disse que só a acabava se
eu me portasse bem lá dentro, na prova. Eu passei-lhe quase
toda a prova mas a Senhora Professora topou e deu-lhe 8
reguadas no rabo. Quando saímos eu não lhe pedi para
acabar a história da bomba atómica porque ele era capaz de
se lembrar do que a Senhora Professora lhe tinha feito lá
dentro e zangar-se comigo. Ele só a acabou à tarde no Sá,
antes de começarmos a jogar o sete-e-meio a cigarros.

Todos ficaram de boca aberta a ouvir. Até o Sá deixou de
atender os fregueses para ouvir o Quim a contar.

Ele contou tudo desde o princípio sem ninguém pedir,
mas era diferente daquilo que tinha começado a contar na
Escola, porque já não metia Cão-Tinhoso. Eu não disse nada
porque ele era capaz de se zangar comigo.

O Cão-Tinhoso tinha a pele velha, cheia de pelos brancos,
cicatrizes e muitas feridas, e em muitos sítios não tinha
pêlos nenhuns, nem brancos nem pretos e a pele era preta e
cheia de rugas como a pele de um gala-gala. Ninguém
gostava de lhe passar a mão pelas costas como aos outros
cães.

A Isaura era a única que gostava do Cão-Tinhoso e
passava o tempo todo com ele, a dar-lhe o lanche dela para

ele comer e a fazer-lhe festinhas, mas a Isaura era maluquinha, todos sabiam disso. A Senhora Professora já tinha dito que ela não regulava lá muito bem e que o pai a havia de tirar da Escola pelo Natal. A Isaura não brincava com as outras meninas e era a mais velha da segunda classe. A Senhora Professora zangava-se por ela não saber nada e dar erros na cópia, e dizia-lhe que só não lhe dava reguadas porque sabia que ela não tinha tudo lá dentro da cabeça. — Kind but insensitive

Quando ia para o estrado ler a lição não se ouvia nada e a gente dizia — «Não se ouve nada, não se ouve nada» —, e a Senhora Professora dizia que os meninos da quarta classe não tinham nada que ouvir. Então os meninos da segunda classe começavam a dizer: «Não se ouve nada, não se ouve nada». A Senhora Professora zangava-se e fazia uma bronca dos diabos. Por isso, no intervalo, as outras meninas faziam uma roda com a Isaura no meio e punham-se a dançar e a cantar: «Isaura-Cão-Tinhoso, Cão-Tinhoso, Cão-Tinhoso, Tinhoso, Isaura-Cão-Tinhoso, Cão-Tinhoso, Tinhoso». A Isaura parecia que não ouvia e ficava com aquela cara de parva, a olhar para todos os lados à procura de não sei quê, como dizia a Senhora Professora. insensitive

Houve um dia em que falei com a Isaura. Foi assim: Estava sentado nas escadas da Escola, mesmo em frente ao portão, a comer o lanche. Era o intervalo do lanche. A Senhora Professora estava a ler um livro e passeava pela varanda, indo até uma ponta, virando-se e vindo para a outra. Como ela passava por mim (ouvia os sapatos, cóc, cóc, cóc, no chão) eu estava para saber se me havia de levantar ou não quando ela passava, porque era chato levantar-me todas as vezes que ela passava por mim. De resto, era mesmo capaz de estar a pensar que eu não dava por ela, por estar de costas para o sítio por onde passeava, e não me perguntar depois, na aula, se os meus pais não me davam educação.

Eu estava a pensar nisso e a comer o lanche, quando vi que a Isaura andava à procura do Cão-Tinhoso. Depois foi lá para fora e espreitou a rua toda. Como não visse o Cão--Tinhoso, ficou no portão a olhar para todos os lados até que me viu. Ficou uma quantidade de tempo a olhar para mim e, depois, veio até às escadas, a andar devagarinho e de lado, subiu-as, e quando chegou perto de mim voltou-se para uma coluna e pôs-se lá a riscar qualquer coisa, muito distraída. Perguntou-me como se estivesse a falar com outra pessoa que eu não via:

— Viste o meu cão? Heim? Viste?

Como eu não desse nenhuma resposta, porque era a primeira vez que ela falava comigo, insistiu:

— Não passou lá para fora?...

Nisto, o Cão-Tinhoso apareceu no portão. Parou um bocado, e depois, em vez de ir para as camas de poeira das galinhas do Senhor Professor, veio para as escadas. Eu disse:

— Está ali.

A Isaura voltou-se logo:

— Aonde? Ah! Meu cãozinho... Tinhas ido passear?

A Senhora Professora parou mesmo atrás de mim (ouvi o cóc, cóc, cóc dela a vir e um cóc mais forte mesmo atrás de mim. De resto, senti o perfume dela em cima de mim).

A Isaura tinha corrido logo, escadas abaixo, a agarrar-se ao Cão-Tinhoso, quando a Senhora Professora disse:

— Ó menina, que pouca vergonha é essa? Vai já lavar as mãos!

Eu estava ainda a pensar para saber se me havia de levantar ou não, porque ouvia-a mesmo por sobre as minhas costas, embora não a estivesse a ver.

A Isaura afastou-se do Cão-Tinhoso e virou-se para a

Senhora Professora. O Cão-Tinhoso ficou também a olhar para ela. Foi aí que a Senhora Professora disse para o Cão-
-Tinhoso:

— Suca! *Look up*

O Cão-Tinhoso ainda ficou um bocado a olhar para a Senhora Professora, com os olhos grandes a olhar como uma pessoa a pedir qualquer coisa sem querer dizer. Eu vi-lhe as lágrimas a brilhar em riscos no focinho. A Senhora Professora deu um grito para o Cão-Tinhoso ouvir bem:

— Suca daqui!

O Cão-Tinhoso voltou-lhes as costas e desapareceu pelo portão fora, sem dizer nada, com o seu andar de carroça velha e com a cabeça a fazer balanço como os bois.

A Senhora Professora continuou a andar (cóc, cóc, cóc, de uma ponta da varanda para a outra) e a Isaura ficou um bocado a olhar com aquela cara de parva para o sítio atrás de mim onde a cara da Senhora Professora devia ter estado, e depois veio devagarinho e a andar de lado e encostou-se outra vez à coluna, muito distraída a riscar na cal. Daí a bocado disse-me:

— Viste?...

E eu disse:

— Vi.

E ela:

— Correu com ele... *—colloq*

E eu:

— Sim.

Ficámos um bocado sem falar e depois ela veio numa corridinha pôr-se-me em frente para me olhar com força. Os cantos dos olhos dela começaram a encher-se de lágrimas e quando os olhos estavam cheios elas rebentaram e caíram-
-lhe pela cara abaixo, a fazer dois riscos grossos. Pergun-
tou-me:

— Viste?... Viste o que ela fez?...
Eu respondi: *witnessing*
— Vi.
E ela:
— Ela é má... É má...
Eu não disse nada e ela continuou:
— Todos são maus para o Cão-Tinhoso...

confiscated in idea simple rare

Os olhos dela não eram azuis, mas eram grandes e olhavam como os olhos do Cão-Tinhoso como uma pessoa a pedir qualquer coisa sem querer dizer.

Depois ela foi-se embora, lá para trás, onde os outros estavam a comer os lanches e a brincar.

O Senhor Administrador cuspiu para nós os dois e disse aquilo do Cão-Tinhoso, mas era só porque ele e o parceiro tinham levado uma limpa-quatro-bolas:

O Cão-Tinhoso costumava aparecer no Clube aos sábados à tarde para ver a malta a treinar futebol. Eu não sei porque é que o Cão-Tinhoso gostava disso, mas a verdade é que ele estava lá todos os sábados à tarde.

Houve um dia que a malta quis fazer um desafio a sério e não me deixou jogar. O Gulamo nem me deixou jogar à baliza. Ele disse-me: «Aguenta um bocado na varanda do Clube. Ficas como suplente. Daqui a pouco entras, mas há-de ser quando estivermos à rasca ou a perder, porque aí entras tu e a gente resolve o jogo». Eu vi logo que eles não me haviam de deixar jogar porque o jogo era a dinheiro e quando é assim eles não me deixam jogar. Isso de eu ficar como suplente era o que eles diziam quando não queriam que eu

jogasse, mas eu não disse nada e fui para a varanda do clube.
O Cão-Tinhoso estava lá.

O Senhor Administrador e os outros estavam na varanda
do Clube, a jogar à sueca como também era hábito todos os
sábados à tarde. Eu estava a olhar para o Senhor Administrador quando ele e o parceiro levaram um capote e ele disse
ao Doutor da Veterinária, que se estava a rir todo satisfeito,
por lhe ter dado o capote: «Não acho graça nenhuma... Isso
foi leiteira»... Depois olhou para mim e viu que eu também
me estava a rir. Olhou para o Cão-Tinhoso e viu-o também
a rir-se. Por isso zangou-se e perguntou aos outros: «Eh!
Quem é que disse que isto não era a Arca de Noé?».

Depois continuaram a jogar à sueca e o Senhor Administrador e o parceiro levaram uma limpa-quatro-bolas. Eu
estava a olhar para ele quando ele disse ao Doutor da
Veterinária que se estava a rir por lhe ter dado a limpa-
-quatro-bolas: «Mas qual é a piada, pôrra? Com os trunfos
todos na mão quem é que não fazia o que vocês fizeram? Olha
filho, toma! Toma! Chupa!... Eu chamo-lhe leiteira...». Depois olhou para mim e zangou-se. Ele sabia que eu sabia que
ele estava a perder. Olhou para mim e para o Cão-Tinhoso
sem saber com qual de nós os dois havia de correr primeiro.
Enquanto pensava para resolver isso cuspiu para nós os
dois, isto é, para um sítio entre nós os dois. Está-se mesmo
a ver que o cuspo tanto era para mim como para o Cão-
-Tinhoso.

O Doutor da Veterinária ainda se estava a rir por lhe ter
dado a limpa-quatro-bolas e ele acabou com aquilo de uma
vez:

— Ouve lá, o que é que este cão está a fazer ainda vivo?
Está tão podre que é um nojo, caramba! Bolas para isto! Ai
que eu tenho de me meter em todos os lados para pôr muita
coisa em ordem...

O Senhor Chefe dos Correios, que era o parceiro do Senhor Administrador, já estava a dar as cartas nessa altura, e por isso ficaram todos a ver quantos trunfos é que lhes haviam de sair. Eu fiquei um momento a olhar para aquilo tudo até compreender o que o Senhor Administrador queria dizer: — O Cão-Tinhoso vai morrer! Olhei para ele: estava a dormir com a cabeça entre as patas, muito descansado da vida.

Fui a correr para o campo de futebol para avisar a malta: «O Cão-Tinhoso vai morrer». — O Gulamo disse-me: «Fora daqui!». — Agarrei-me a ele e voltei a dizer-lhe que o Cão-Tinhoso ia morrer: «Larga-me». Ele só dizia isso. — «Larga-me». Mas estava quieto.

Ficamos os dois a ver uma avançada do grupo do Quim. O Faruk, que era o ponta direita deles, foi com a bola até ao canto, depois de ter batido o Narotamo em corrida, e de lá centrou. O Quim passou por nós a correr para a baliza, mas o Gulamo só dizia: «Larga-me». O Quim meteu o golo com uma cabeçada. O Gulamo foi logo a correr: «Este golo não valeu porque este tipo estava a agarrar-me». O Quim e os outros não quiseram saber: «Isso é que vale, estás a ouvir?».

Depois o Gulamo veio ter comigo:

— Ó filho da mãe, suca daqui para fora e não voltes a chatear, estás a ouvir? Suca daqui antes que eu te rebente o focinho!

Bem, como o Gulamo dizia aquilo muito zangado eu fui-me embora para fora do campo, mas fiquei chateado porque os outros não queriam saber do Cão-Tinhoso.

Quando ia já a sair do campo, o Telmo correu para mim e pôs-se a bater-me na cabeça e a gritar:

— Só, só, só mais um! Só, só, só mais um!...

Agarrei-lhe os braços e disse-lhe o que ia acontecer ao Cão-Tinhoso, mas ele continuava:

— Só, só, só mais um, só, só, só mais um...

Tive vontade de bater no Telmo, mas o Gulamo estava ali perto a olhar para mim com os braços cruzados no peito e tive mesmo de me ir embora.

Quando passei pela varanda do Clube, o Senhor Administrador e os outros estavam muito entretidos a jogar à sueca, e o Cão-Tinhoso estava muito quieto, a dormir com a cabeça entre as patas sem ter percebido o que lhe havia de acontecer.

Na segunda-feira de manhã fui ver o Cão-Tinhoso logo que cheguei à Escola. A Isaura estava ao pé dele e dava-lhe o lanche dela, partindo o pão aos bocadinhos e espalhando-os perto da boca do Cão-Tinhoso, que ia comendo devagar, porque levava muito tempo a mastigar. Quando tocou para entrar, a Isaura despediu-se dele e veio a correr para a chamada.

Lá dentro, enquanto fazia as contas e o desenho, e mesmo durante o ditado, fui pensando no Cão-Tinhoso a ser morto pelo Doutor da Veterinária, depois de ter escapado da bomba atómica e tudo, depois de ter corrido uma distância monstra para não morrer por causa da bomba atómica. O Doutor da Veterinária se calhar não tinha vontade nenhuma de matar o Cão-Tinhoso, mas como é que ele havia de fazer, coitado, se foi o Senhor Administrador que mandou?

Perguntei ao Quim como é que o Doutor da Veterinária havia de matar o Cão-Tinhoso, e ele disse-me: «Um cão mata-se com antibióticos». Eu perguntei-lhe o que era isso de antibióticos e ele zangou-se e disse: «Ó seu burro!». E depois de se calar um bocado e continuar a fazer o desenho, voltou a falar, mas já sem estar zangado: «Meu Deus, quem é que te manda ser tão besta? E quem é que me manda ter tanta paciência para te aturar. É que ainda por cima não sei em que língua é que te hei-de falar porque não percebes nada de português, chiça?! Um cão mata-se com uma bala de Ponto 22. Sim, para ti tem de ser assim. É uma bala de Ponto 22 e pronto, arre!». Calou-se mas continuou: «Ou com antibióticos...». E pouco depois: «A não ser que o Doutor da Veterinária seja tão burro como tu que só o possa matar com uma bala de Ponto 22».

— Ó meninos, isto não é um bazar, heim...

Era a Senhora Professora.

— O que é que o Quim te estava a dizer? Sim, tu, Ginho, responde!

Eu ia a responder mas o Quim deu-me um beliscão. *punch*

— Não queres dizer? Será preciso usar a régua no teu rabinho?

— Não era nada, Senhora Professora, era por causa do Cão-Tinhoso. O Doutor da Veterinária vai matá-lo. *stealthy*

mocking — Vocês não têm tempo para tratar desses sigilosos negócios de estado durante a hora do intervalo?

— Temos, sim, Senhora Professora. *animal*

— Então toca a fazer o desenho e bico calado.

Ficamos de bico calado a fazer o desenho.

Quando chegou a hora do intervalo a Isaura veio ter comigo, muito aflita:

— O que é que tu e o Quim estavam para ali a dizer?

Eu já tinha falado com ela uma vez, mas era como se fosse a primeira vez, porque fiquei sem saber o que lhe havia de responder.

— O que é que tu e o Quim estavam para ali a falar do Cão-Tinhoso?

— Nada...

— Vão matá-lo? O Doutor da Veterinária vai matá-lo?

— Não, isso é mentira do Quim...

lies to protect Isaura's feelings

— Então, porque é que estavam a falar nisso?
— Para passar o tempo. É que o desenho era chato...
— Vocês não sabem que não devem dizer mentiras? (Ela estava a armar em Senhora Professora ou qualquer outra pessoa já crescida). *— childish*
— O Quim é que disse mentiras, foi o Quim...

A Isaura respirou fundo (ainda a armar em pessoa crescida) e foi a correr para o canto das camas de poeira das galinhas do Senhor Professor. Antes de chegar lá parou e voltou-se para mim com as mãos a tapar a boca, mas como visse que eu ainda estava a olhar para ela voltou-me as costas.

O Cão-Tinhoso viu-a chegar e pôs-se logo a abanar o rabo e a balancear a cabeça, embora não estivesse a andar. A Isaura ajoelhou-se diante dele, agarrou-lhe a cabeça e pôs--se a dizer-lhe uma data de coisas que não ouvi.

Depois sentou-se sobre os calcanhares, cruzou os dedos no regaço e pôs-se a olhar para as mãos. Eu estava mesmo atrás dela quando ela disse:

— Não ligues a isso tudo porque é pêta do Quim, o Doutor da Veterinária não te quer matar nem nada, isso é pêta. Nós ainda vamos falar das nossas coisas, e eu hei-de dar-te de comer todos os dias. Também posso vir à tarde depois da hora do lanche e trazer-te de comer, a minha mãe não diz nada. Cão-Tinhoso! Não sejas malcriado! O que é que estás a querer ver debaixo das minhas saias? — E puxa a saia para tapar os joelhos. — Oh! Desculpa-me, Cão-Tinhoso! Estás a ver a barra da minha saia nova! Desculpa-me, eu devia saber que não és como esses meninos malcriados que andam por aí. Não tinhas visto ainda a minha saia nova? Tem muita roda, queres ver? — Levantou-se e esticou a saia pelos lados. Estava a fazer uma voltinha quando me viu mesmo atrás dela. Ficou de boca aberta a olhar-me depois virou-se para

love for dog

mim com a boca muito fechada e de mãos nas ancas:—O que é que você quer daqui? Fingi que estava a apanhar qualquer coisa com que tivesse estado a brincar e tivesse ido parar ali sem ser de propósito, e depois fui-me embora a fingir que metia a coisa ao bolso.

Um dia, o Senhor Duarte da Veterinária veio ter connosco quando estávamos no Sá a contar filmes e anedotas e disse-nos:
— Ó rapazes, tenho uma coisa para vocês.
Claro que fomos todos atrás dele até ao muro da Veterinária.
— Oiçam, ó rapazes, tenho uma coisa para vocês — repetiu — depois de se sentar ao alto do muro, com a malta em volta.
— É mesmo uma coisa para a malta.
Calou-se por um bocado e olhou para as nossas caras. «É uma coisa de malta, mesmo de malta (agora só olhava para as unhas com os olhos quase fechados por causa do fumo do cigarro). É coisa que eu com a vossa idade não deixaria de fazer, se me pedissem para fazer. Bem, vocês sabem, o Doutor mandou-me dar cabo de um cão, aquele, vocês conhecem-no, aquele que anda aí todo podre que é um nojo, vocês não o conhecem?... Ora bem, o Doutor mandou-me dar cabo dele. Bem, eu já o devia ter liquidado há mais tempo, mas o Doutor só me disse esta manhã. Bem, acontece que eu tenho visitas em casa e é bera estar agora a pegar em armas e zuca-zuca atrás de um cão, vocês compreendem, não é rapazes?... Mas eu nem me afligi porque pensei cá para comigo— que diabo, os rapazes estão sem fazer pêva e é para as ocasiões que a gente conta com os amigos — e pensei logo

em vocês, porque já se vê, vocês até devem gostar de mandar uns tiritos, hem? Bem, calem-se não digam mais, eu já sabia que vocês são malta fixe. Olhem rapazes, vocês pegam aí numa corda qualquer, procuram lá o cão e levam-no para o mato sem grandes alaridos e aí ferram-lhe uns tiritos nos cornos, que tal?... Está bem, está bem, calma, deixem-me acabar de falar...

O Quim bateu-me na boca:

— Deixa ouvir o Senhor Duarte, caramba!

— Olhem, vocês, eu sei que vocês andam por aí aos tiros às rolas e aos coelhos, olhem que eu sei... Mas deixem lá que eu não levo a mal, malta é malta, isto é assim mesmo, eu só não quero é que façam as coisas à minha frente porque tenho responsabilidades, vocês sabem. Ora vocês já têm armas e por isso não tenho de vos emprestar as Ponto 22 daqui da Repartição, aliás uma chega, mas se vocês quiserem fazer tiro ao alvo, eu não tenho nada com isso... Mas, pst, sem fazer um cagaçal que se oiça aqui na vila!... Pronto, rapazes, ide, ide divertir-vos um pedaço, mas cuidado lá com as armas, hem? Nada de desatar a ferrar tiros nos cornos uns dos outros...

A malta pôs-se logo a correr, e o Senhor Duarte teve de se pôr de pé ao alto do muro da Veterinária para nos chamar de novo. Depois esperou que chegássemos bem ao pé dele para nos olhar bem na cara antes de falar com os olhos outra vez quase fechados por causa do fumo do cigarro:

— Oiçam, rapazes, eu estou a falar entre homens, pôrra! Isto escusa de ser propalado por aí aos quatro ventos, estão a ouvir? Eu só quis dar um prazer à malta porque sei que vocês gostam de dar uns tiritos de vez em quando e eu não levo a mal. ...Sim, sei que vocês gostam de dar por aí uns tiritos às rolas e aos coelhos, mesmo sem terem licença de uso e porte de arma, para não falar na licença de caça, e vocês

sabem que se são apanhados por mim ou por um fiscal de
caça, chupam uns meses de prisão que se lixam. Mas deixa
lá que eu não levo a mal nem digo a ninguém que vocês usam
as armas dos vosssos pais ilegalmente. Eu só quero que não
me façam essas coisas mesmo debaixo do nariz, porque
tenho responsabilidades, vocês sabem. Eu não levo isso a
mal, porque conheço bem a malta, mas isto não é para ser
espalhado por aí, vocês não acham?
De resto isto nem tinha de ser dito, porque estou a falar
entre homens...
— Fique descansado, Senhor Duarte...
Foi o Quim.
— Pronto, rapazes, ide divertir-vos, mas pouco alarido...
O Sá, da varanda da loja, fazia-nos sinais para lhe irmos
contar o que o Senhor Duarte nos tinha dito, mas nós nem
olhámos para lá. Fomos logo para a escola, e no canto das
camas de poeira das galinhas do Senhor Professor lá estava
o Cão-Tinhoso a dormir. Quando nos viu, levantou-se e veio
por ali fora a cobrejar, todo cansado, com as patas a tremer.
Olhou para todos nós com os olhos azuis, sem saber que nós
queríamos matá-lo e veio encostar-se às minhas pernas.
Depois de estar um bocado assim encostado, deixou escorre-
gar o traseiro e sentou-se. Eu senti-o a tremer como não sei
o quê, enquanto os outros combinavam, e via os meus
sapatos a brilhar onde ele os lambia.
— Ouve lá, tu deixas esse cão todo podre que é um nojo
encostar-se a ti? — O Faruk estava sempre a meter-se
comigo, mas o Quim queria combinar as coisas e não queria
ouvir o que ele dizia:
— Deixa lá, é preto e basta, deixa lá... Bem, malta, o cão
não sai daqui e a gente vai cada um para a sua casa buscar
as armas e depois levamo-lo para a mata atrás do matadouro
e damos cabo dele, óquêi?

— Como é que o levamos? Eu é que não o levo às costas...
— Ó minha besta! — O Quim não gostava daquelas piadinhas. — E isso seria demais? — Como é que vocês, os quadrúpedes, costumam levar as coisas? — Depois virou-se para mim:
— Toucinho, tu trazes aquela corda que tens na tua casa debaixo do canhueiro.
— E quem é que leva o Cão? — (Eu não queria levar o Cão-
-Tinhoso).
— A gente depois atira uma moeda ao ar e vê quem é que o leva.
— Não me digam que este gajo também atira...
— Ó malta, vamos fazer o que o Senhor Duarte mandou ou não?
Fomos todos a correr para ir buscar as armas.
Quando cheguei a casa, a minha mãe estava sentada numa esteira mesmo à porta. Escondi-me atrás de uma árvore para pensar como é que havia de levar a minha Ponto 22 de um tiro sem ela se zangar, mas ela viu-me logo e chamou-me: «Ginho! O que é que estás aí a fazer todo escondido?» — Corri para ela e entrei em casa saltando-lhe por cima das pernas. «Eh! Que brincadeira é essa?» — Mas eu já não a ouvia. Fui buscar a arma e voltei muito devagar, sem fazer barulho nenhum, até ao corredor. Depois corri com força. — O que é isso? Para onde é que levas a espingarda? Anda cá! Olha que eu faço queixa ao teu pai!
Só parei um bocado para levar o rolo de corda debaixo do canhueiro. Depois não ouvi mais os berros dela. Enquanto corria para a escola fui pensando que afinal até era bom matar o Cão-Tinhoso porque andava todo cheio de feridas que era um nojo. E até era bem feito para a Isaura que andava cheia de manias por causa dele. Quando cheguei à escola, apalpei o bolso da camisa para sentir as balas a

style

esfregarem-se umas nas outras. Bem, esqueci-me de dizer que, quando fui buscar a espingarda, também levei algumas balas. Se as não levasse, como é que havia de matar o Cão-Tinhoso?

—gangup

Nós éramos 12 quando fomos para a estrada do Matadouro com o Cão-Tinhoso

O Quim, o Gulamo, o Zé, o Xangai, o Carlinhos, o Issufo e o Chico, iam pelo meio da estrada com as espingardas apontadas para a frente. Atrás deles ia o Faruk, que não tinha espingarda, a arrastar o Cão-Tinhoso pela corda. O Cão-Tinhoso não queria andar e chiava que se danava, com a boca fechada. Nós, eu e o Telmo de um lado, o Chichorro e o Norotamo do outro lado, íamos também armados, meio metidos no capim, como o Quim tinha mandado, a bater o mato. Eu não entrava muito pelo capim, porque, quando me aparecia uma micaia pela frente, eu contornava-a pelo lado da estrada do Matadouro, por onde o resto da malta ia, e volta e meia o Quim tinha de me perguntar se eu ia a bater o mato ou quê, porque eu só queria era olhar para o Cão-Tinhoso, a chiar, que se danava e mais aquele barulho de ossos lá dentro dele que às vezes ouvia quando o Faruk o puxava com força, e mesmo lá na escola, no canto das camas de poeira das galinhas do Senhor Professor, quando ele andava.

Quando chegámos ao matadouro os muleques do Costa vieram ver a malta a passar:

— Onde vai jimininu? Leva xipingar, vai no caça? Mas aquele cão num prrêsta!

— Fora daqui, negralhada! — Era o Quim.

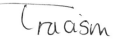

rcasm

Os muleques julgaram que o Quim falava na brincadeira e não se mexeram, mas o Quim apontou-lhes a arma e repetiu:

— Fora daqui, negralhada, fora daqui cabroada escura! ~~racism~~

Desapareceram todos num instante, a correr, que batiam com os calcanhares no cú, como dizia o Quim.

Avançámos para o mato, mas eu tinha a certeza de que eles nos estavam a seguir.

— Ó pá, vocês ajudem-me, — era o Faruk — venha outro tipo puxar o sacana do cão...

— Ó pá, mas a gente mandou uma moeda ao ar e ficaste tu...

— Então mandem outra vez...

— Bolas, assim não! Nós tínhamos combinado... Bem, óquêi... — O Quim olhou para mim: — Toucinho, anda tu!

— Ó pá, mas eu vou a bater o mato como tu disseste...

— O Faruk fica a bater o mato!

— Ó pá, não há o direito...

— Não há uma ova! Vai tu e não refiles! Dá a tua arma ao Faruk!

Os outros pararam um pouco atrás. Eu sabia disso, mas não fui capaz de parar. O Cão-Tinhoso agora ia à frente de mim e eu é que andava devagar. Eu via-o de cabeça esticada para a frente e de rabo espetado. Andava todo inclinado para a frente, com as pernas a fazer músculos com o esforço de fugir da corda que lhe apertava o pescoço.

Tínhamos entrado muito pelo mato adentro mas estávamos num sítio onde não havia árvores e só havia capim. As árvores estavam à nossa frente e o Cão-Tinhoso queria ir para lá. Às vezes ele nem se via no capim alto, mas de vez em quando andava tão depressa, que a corda se esti-

cava e então eu tinha de andar um pouco mais depressa para não sentir na mão, na cabeça, aqui dentro, no corpo todo, a força dos ossos dele a chiar, a chiar e a chiar. — *hom tlo*
— Ei, para onde é que levas isso? Parei e o peso veio todo na corda para dentro de mim. Virei-me devagar e vi o Quim a meter um cartucho na Calibre 12 de Dois Canos.

— Ó Chico, o que é que dizes, SG ou 3A? — Agora falava com o Chico, com o cartucho meio metido num dos canos e com o dedo a empurrá-lo devagarinho lá para dentro da câmara.

— Ó Quim, pá, põe-lhe o número 4, não sejas bera que com isso escangalhas o cão todo, pá...

— Ouve lá, para onde é que levas isso? — Eu estava parado, a sentir tudo aquilo do Cão-Tinhoso que vinha pela corda esticada. O Cão-Tinhoso virou-se para mim e atirou--se para trás de recuo a chiar por todos os lados. Eu sabia que ele me estava a olhar com os olhos azuis, mas não pude deixar de olhar para a malta, que estava a fazer meia roda, andando devagar e sem fazer barulho, sempre a armar e a desarmar as espingardas. O Quim, em cima de uma pedra, olhava para mim com o cartucho meio metido num dos canos da Calibre 12. O Faruk agarrava com força a minha Ponto 22 de Um Tiro, e já lhe tinha metido uma bala expansiva na câmara. Ele era o único que não estava sempre a mexer na culatra para armar e desarmar a espingarda.

— Ó Quim, não atires com SG nem com 3A que isso é chato...

— Não atires, Quim, isso é bera...

— Assim, o gajo quina logo...

— Ó Quim, mete-lhe o número 4 ou outro número qualquer, o Senhor Duarte disse que nós também podíamos atirar...

— Pôça, Quim, isso não!

O Cão-Tinhoso já não fazia força e de repente senti a corda lassa. Daí a pouco o Cão-Tinhoso encostava-se às minhas pernas, todo a tremer e a chiar baixinho. *barrel*

O Quim acabou de meter o cartucho num dos canos da espingarda e endireitou-a devagar até fechar a câmara. A arma ficou voltada para mim. Eu não pude olhar mais para lá, mas era por causa dos olhos do Quim, que me olhavam quase fechados, a brilhar sem ele estar a chorar. *—evile*

Eu é que tinha uma danada vontade de chorar mas não podia fazer isso com aqueles todos a olhar para mim.

— Quim, a gente pode não matar o cão, eu fico com ele, trato-o das feridas e escondo-o para não andar mais pela vila com estas feridas que é um nojo... *—tries to save him*

O Quim olhou para mim como se nunca me tivesse visto em nenhum lado, mas respondeu aos outros:

— Vocês que se lixem, eu atiro com o cartucho que quero e pronto!

— Atiras um raio é que atiras! Não julgues que temos medo de ti! *— stands up*

O Quim olhou para o Gulamo e perguntou devagar e em voz baixa:

— Ó meu filho da mãe, queres que eu te rebente o focinho?

— Rebentas uma ova, tu aqui não armes em mandão que eu não tenho medo de ti! *suspense*

O Gulamo tinha-se virado para o Quim, com arma e tudo.

— Ouve lá, queres ter alguma coisa comigo, monhé de um raio?

O Quim não teve medo da arma de Gulamo.

— Isso era o teu avô, meu labreguinho ordinário! Nunca te contaram isso lá na tua aldeia? Seu maguerre!...

— Monhé! Filho de um corno!

— Ó Quim, não atires com SG nem 3A que isso é ser chato...

— Não atires, Quim, isso é bera...

O Quim tinha descido da pedra e avançava para o Gulamo.

— Ó Quim, mete-lhe o número 4 ou outro número qualquer, o Senhor Duarte disse que nós também podíamos atirar...

— Pôça, Quim, isso não!

O Cão-Tinhoso chiava baixinho e roçava-se pelas minhas pernas a tremer. O Faruk agarrava a minha espingarda com força e apontava-a para mim com as pernas afastadas, mas olhava para o Cão-Tinhoso, com os olhos grandes de medo. Os outros todos ficavam também com os olhos cheios de medo quando olhavam para os olhos azuis do Cão-Ti-nhoso.

— Eh, malta, vamos acabar com isto que é tarde e está quase escuro. Vocês não desatem aqui aos tiros para os cornos um do outro... O Quim parou e virou-se para o Xangai:

— Cornos tem o teu pai, estás a ouvir? Eu não deixo que um monhé abuse sem levar na cara! De mim ninguém se fica a rir... E se ladras mais também comes no focinho... Tu ou qualquer outro! Vocês todos estão a ouvir?

O Quim gritava como um doido, mas o Gulamo não tinha medo dele porque começou a arregaçar as mangas da camisa.

Já estava quase escuro e o Cão-Tinhoso tremia contra as minhas pernas como não sei quê.

— Eh pá, vamos deixar isto para o outro dia — o Faruk olhava para o brilho do cano da Ponto 22 de Um Tiro — vamos deixar isto para amanhã ou outro dia...

Ele talvez ficasse por aqui, mas como o Quim deixasse de berrar para ouvir o que ele dizia, continuou:

— É que já está quase escuro e podíamos ferir alguém sem querer, no escuro, com tantas espingardas...

O Quim gritou logo:

— Ó meus filhos da mãe, vocês estão com medo?

Só eu é que respondi:

— Eu estou com medo — custou-me dizer aquilo porque mais ninguém estava com medo, mas foi melhor assim — Eu estou com medo, Quim...

Apesar de já estar quase escuro eu via os meus sapatos a brilhar nos sítios onde o Cão-Tinhoso os lambia. Mesmo com o capim e tudo. O Quim e a outra malta riam-se com força e o Gulamo rebolava no capim de tanto se rir por eu ter medo. *mean. he is.*

— Esta é forte, malta — dizia o Quim, com a boca toda aberta e os olhos a chorar de tanto rir.

— Esta é que foi — dizia o Gulamo que nem se via por estar a rebolar no capim. Os outros riam-se muito, também.

Parece que eu tive muita vergonha por ter dito aquilo. Voltei a sentir um peso monstro dentro de mim e no pescoço. Eu não me mexia para os outros não se rirem mais de mim, mas as pernas tremiam-me por causa do Cão-Tinhoso, a tremer encostado a elas.

— Esta é forte! — O Quim berrava outra vez.

— Esta é forte! O Gulamo dizia isto enquanto rebolava no capim de tanto se rir de mim. — Esta é forte...

Os outros, às vezes calavam-se, e só o Quim é que se ria sempre, sempre e cada vez com mais força. Os outros ouviam-no quando se calavam e voltavam a rir-se com força como ele. E riam-se, riam-se, riam-se enquanto o peso no meu pescoço e cá dentro aumentava cada vez mais. Parece que nunca mais acabavam de se rir, e eu com aquilo só tinha .vontade de chorar ou de fugir com o Cão-Tinhoso, mas também tinha medo de voltar a sentir a corda a tremer de tão esticada, com o chiar dos ossos a querer fugir da minha mão, e com os latidos que saíam a chiar, afogados na boca fechada como ainda há bocado. Sim, eu nunca mais queria voltar a sentir isso.

O Quim estava de novo em cima da pedra mas ainda se ria de vez em quando e dizia esta é forte, esta é forte. O Gulamo estava ajoelhado, sentado sobre os calcanhares e com a camisa limpava a cara das lágrimas que saltaram dos olhos de tanto se rir de mim por eu ter medo e também dizia esta é forte, esta é forte.

Os outros já não se riam mas de vez em quando concordavam com o Quim e com o Gulamo nisso de esta é forte, esta é forte.

Já estava quase escuro e o Quim, do alto da pedra, disse para a malta:

— Eh, malta, agora é que vai ser: Eh! Toucinho, desata a corda!

Mas eu não era capaz de me mexer, todo envergonhado e com o pescoço a doer como não sei o quê.

— Eh, malta, vocês nunca me viram a matar um preto?

— O Quim aproximou-se de mim: «Eh, Toucinho, desata a corda!»

O Gulamo aproximou-se também. «Eh, Toucinho, desata a corda».

O nó estava feito de tal maneira que custava a desatar, e eu não tinha força nenhuma nos dedos. Tinha vontade de chorar ou fugir com o cão e tudo.

— Anda lá, senão rebentamos contigo, preto de um raio!

— Anda lá com isso, caramba, — agora era o Faruk — anda lá com isso, preto de um raio!...

No pescoço, as feridas do Cão-Tinhoso já não tinham

crosta por causa da corda, mas só saía delas uma aguadilha
vermelha que me molhava as mãos. —animal
— Anda lá, não tentes ser besta, Toucinho!
Quando acabei de desapertar o nó, agarrei a corda com
força para ela não cair e continuei a mexer no pescoço do cão,
mesmo com os olhos fechados.
— Eu tenho medo, desculpa-me Cão-Tinhoso — eu disse
aquilo tão baixinho que só o Cão-Tinhoso me podia ouvir —
eu tenho medo, Cão-Tinhoso. — Eu vou pedir isso ao Quim
e à malta, e eles deixam concerteza, e eu levo-te e trato-te e
depois vais outra vez dormir para as camas de poeira das
galinhas do Senhor Professor. Eu vou pedir ao Quim e à
malta e eles deixam. Mas, não me olhes como se eu tivesse
culpa, Cão-Tinhoso! Desculpa, mas eu tenho medo dos teus
olhos...
Abri os olhos e o Cão-Tinhoso estava com os olhos em
cima de mim, como se não tivesse percebido o que eu tinha
pedido. Tive de desviar a cara depressa e por isso a corda
caiu-me das mãos...
— Ei, o que é que estás para aí a dizer? O quê, já acabaste?
— Quim, a gente pode não matar o cão, eu fico com ele,
trato-lhe as feridas e escondo-o para não andar mais pela
vila com estas feridas que é um nojo!...
O Quim não queria saber do que eu estava a dizer e, por
isso, agarrou-me pela gola da camisa e perguntou-me o que
é que eu estava para ali a dizer.
O Cão-Tinhoso tremia, cada vez mais enfiado nas minhas pernas com o rabo a dar e a dar e eu empurrei o Quim
para voltar a agarrar a corda no pescoço do cão para os
outros não verem.
— O que é que estás a dizer? — Era o Gulamo.
O Cão-Tinhoso olhava-me com força. Os seus olhos azuis
não tinham brilho nenhum, mas eram enormes e estavam

cheios de lágrimas que lhe escorriam pelo focinho. Metiam medo aqueles olhos, assim tão grandes, a olhar como uma pessoa a pedir qualquer coisa sem querer dizer. Quando eu olhava agora para dentro deles, sentia um peso muito maior do que quando tinha a corda a tremer de tão esticada, com os ossos a querer fugir da minha mão e com os latidos que saíam a chiar, afogados na boca fechada.

Eu tinha uma danada vontade de chorar mas não podia fazer isso com a malta toda a olhar para mim.

O meu braço estava todo molhado pelo sangue das feridas do pescoço do Cão-Tinhoso, mas tinha de me abaixar um pouco mais, só mais um bocadinho, para apanhar a corda.

O Faruk falava muito baixinho e depressa. Devia estar outra vez a olhar para o brilho do cano da espingarda:

— Vamos deixar isto para outro dia, pá... Damos cabo do cão amanhã ou outro dia...

Calou-se mas continuou logo:

— É que já está quase escuro e podíamos ferir alguém sem querer, no escuro com tantas espingardas...

 — Quim, eu não quero dar o primeiro tiro... (Eles queriam que eu desse o primeiro tiro).

— Anda lá, anda lá, não tenhas medo...

— Sabes, Quim, é que eu não quero matar o Cão--Tinhoso... O meu pai é capaz de me bater quando souber... eu não quero, não...

— Vamos, pá. Eu disse-te que só davas o primeiro tiro, e é só isso o que vais fazer.

— É que, sabes, pá... O meu pai lá em casa... Eu vou-me embora, ele está à minha espera... Se chego tarde, ele bate--me... Bate-me, Quim, da outra vez bateu-me...

domestic violence

— Vamos, vamos, deixa-te dessas coisas, não sejas medroso... Já viram isto, malta, um de nós a borrar-se todo por causa do cão... É que eu não sei porque é que este tipo anda connosco se não é macho de verdade... Já viram?

— Eu não me estou a borrar todo, Quim, eu só não quero dar o primeiro tiro... É que eu sou um bocado amigo do cão e é chato ser eu a dar o primeiro tiro...

— Isso são desculpas, isso são desculpas... Tu não és macho, como a gente... Maricas! Não tens vergonha? Dá lá o tiro, anda...

— Merda para ti, caramba! — Era o Gulamo — Preto de merda!

— Dispara, pá, não sejas medroso... Até parece que é a primeira vez que agarra numa arma...

— Quim, eu não quero dar o primeiro tiro...

— Se continuas assim a gente depois conta lá na escola que tu tiveste medo de matar o cão, que começaste com cagufas... A gente vai dizer que te borraste todo... A gente vai contar isso, palavra que vai contar...

— Quim, eu não tenho cagufa nem nada, não tenho medo de matar o cão... É só porque o meu pai está à espera lá em casa...

— Se em vez de estares aí a falar tivesses dado o tiro, já estaríamos despachados. Anda lá, não sejas medroso!

— Medroso, me-dro-so! me-dro-so!

— Eu não sou medroso! Já disse, não sou medroso!

— És, és, és... Atira se não és! Atira!

— Atiro, sim, e depois? Eu mando já um tiro no sacana do cão...

— Isso é que é falar!... O Quim abraçou-me.

Eu tinha a arma apontada mas o Cão-Tinhoso fartava-se de dançar no ponto de mira. O Quim não saía do meu lado:

— Não atires a matar, estás a ouvir? Mas se quiseres,

podes atirar... Sabes, é só porque tu estavas todo cheio de cagufa e era preciso mostrar à malta que não és maricas. É por isso que tu és o gajo que vai dar o primeiro tiro... Eu se fosse a ti atirava a matar e despachava o gajo logo... Não há azar nenhum nisso, foi o Senhor Duarte que mandou... E assim poupavas o trabalho à malta. É que um tipo chega para matar o cão, e escusávamos de encher o gajo de chumbo, que isso é ser maldoso e se o Padreca souber disso é capaz de andar para aí a dizer que nós somos ordinários. Sabes, Ginho... Eu acho que o Doutor da Veterinária devia ter liquidado o sacana do cão com uma droga qualquer... Eu li numa revista que na América os cães matam-se com drogas... Sim, lá na América, quando um Doutor da Veterinária quer matar um cão que anda lá nas ruas cheio de feridas que é um nojo, dá-lhe uma droga qualquer... Só para mostrar ao Doutor que ele não percebe nada disto a malta devia não matar o cão... Não era por medo nem por nada, mas era para o gajo ver... Ginho, não achas que devia ser assim? Não, não achas? Hem?

— Ó Quim, pá, não podes conversar mais tarde com esse tipo? — Era o Gulamo.

— Sabes, pá... Eu estava a dizer aqui ao Ginho uma coisa bestial!... Não era, Ginho? É uma coisa que a malta devia fazer, não era Ginho?

— Está bem, está bem, contas isso depois, agora vai para o teu lugar e deixa o tipo dar o primeiro tiro para a malta atirar também... Ou será que o gajo voltou a ficar com medo de atirar?

— Eu não estou com medo, já disse! — Eu virei-me para o Gulamo — Eu atiro já...

— Está bem, está bem, eu só queria saber... Vamos, Quim, vai para o teu lugar... Ou também estás com medo?

O Quim riu-se como se aquilo fosse uma piada e foi com

a arma dele para cima da pedra. Quando lá chegou, gritou para mim:

— Então, atiras ou não?

A minha Ponto 22 de Um Tiro (a que estava com o Faruk) estava com um peso danado, e por isso o Cão-Tinhoso fartava-se de dançar no ponto de mira. Só os olhos dele é que não se mexiam nada e olhavam sempre para mim. Comecei a puxar o gatilho muito devagar.

«Desculpa-me, Cão-Tinhoso, mas não vou atirar a matar»...

Eu disse aquilo muito baixinho, e só o Cão-Tinhoso é que ouvia. Eu só havia de dar o primeiro tiro porque a malta queria que fosse eu, mas não havia de matar o Cão-Tinhoso!

«É que eu tenho medo, eu tenho medo, Cão-Tinhoso, mas eu vou atirar para a malta não dizer que eu tenho cagufa».

Depois vi que afinal não estava a puxar o gatilho, porque tinha o dedo no guarda-mato. Comecei a puxar o gatilho devagar para ter tempo de dizer tudo ao Cão-Tinhoso:

«Eu não tenho outro remédio, Cão-Tinhoso, eu tenho de atirar... Eu estou cheio de medo, desculpa, Cão-Tinhoso... Deixa-me atirar e não me olhes dessa maneira... Eu estou é com medo, estás a ouvir?... Estou com medo!... Se pudesse, fugia e levava-te comigo. E depois tratava-te e nunca mais aparecias pela vila com essas feridas que é um nojo, mas o Quim...»

A folga do gatilho acabou de repente e o peso da mola era tal, que o Cão-Tinhoso dançava ainda mais sob o ponto de mira da minha arma. Tive de fechar os olhos e era por causa dos olhos do Cão-Tinhoso, que estavam parados e olhavam para mim muito quietos, mesmo quando ele dançava no ponto de mira.

— Vamos, pá, atira lá que nós estamos à espera de ti; mostra que és teso e que podes continuar com a malta!...

A mola ia cedendo aos poucos e cada vez estava mais pesada. *A tensão iria aumentar até o cão saltar e perfurar a bala. Então não haveria mais resistência e o gatilho viria até ao fim, com o estoiro do cartucho na câmara e o ligeiro coice da coronha.* Tinha de falar mais depressa para acabar de dizer tudo antes do estoiro, e não podia abrir os olhos senão veria os olhos do Cão-Tinhoso e não seria capaz de atirar.

«Não vais sofrer nada, porque o Quim meteu na Calibre 12 mais um cartucho SG, e os outros também vão atirar ao mesmo tempo. Não te vai doer, tu ainda estás a pensar em qualquer coisa e já estás morto e não sentes mais nada, nem as feridas a doer por causa da corda nem nada...»

— Pôrra, atiras ou não, preto de merda?

«Tu morres e vais para o Céu, direitinho ao Céu... Vais gozar lá no Céu... Mas antes disso eu hei-de enterrar o teu corpo e hei-de pôr uma cruz branca... E tu vais para o limbo... Sim, antes de ires para o Céu, vais para o limbo, como uma criança pequena... Estás a ouvir, Cão-Tinhoso?»

A Senhora Professora perguntou se os nossos pais não nos davam educação lá em casa e nós nunca mais falámos sobre o Cão-Tinhoso, mesmo quando estávamos no Sá.

Logo depois do estoiro ouvi um grito monstro e nada mais. O meu tiro devia ter magoado muito o Cão-Tinhoso para ele gritar como uma pessoa. Fiquei sem saber o que havia de fazer porque logo depois, o Cão-Tinhoso começou a gemer como uma criança.

Fui afastando as mãos da cara e depois abri os olhos. A

Isaura estava agarrada ao Cão-Tinhoso e era ela quem estava a gemer, mas não sei se não teria sido mesmo o Cão--Tinhoso quem gritara ainda há bocado. A malta estava toda de boca aberta a olhar para aquilo e só se ouvia a Isaura a gemer muito alto e a olhar para todos os lados com os olhos todos saídos e muito agarrada ao Cão-Tinhoso.

O Quim foi o primeiro a falar:

— O que é que esta tipa veio para aqui fazer?

O Gulamo também tinha a voz rouca:

— Se calhar foram os pretos do Costa que lhe disseram...

Os muleques do Costa estavam por detrás da malta, disfarçados no escuro dos troncos das árvores, e com as mãos cruzadas sobre o peito e os olhos todos saídos. Todos eles iam dizendo «Hi!» e «Hê!», a olhar para a malta. O capataz dos moleques do Costa escondeu-se ainda mais no tronco de uma micaia e falou com os braços a voar para todos os lados:

— A nós não tem curpa! Ele que veio pruguntar, e gente veio com ele para ver jimininu cum cão! A nós não tem curpa, só veio ver matar cão! Não tem curpa!...

— Ah, negros cabrões! — O Quim apontou-lhes a Calibre 12 de Dois Canos.

— Num mata nós, num tira, patrão... Hi! — e desapareceram todos com um cagaçal medonho pelas micaias, a gritar «Hi!» e «Hi!».

O Quim virou-se para a Isaura, que estava meio escondida no capim e com os olhos todos de fora, a olhar para a malta e a gemer:

— Ó tipinha, não te disseram que nós não queremos fêmea a esta hora? O que é que vieste para aqui fazer? Não queremos gajas a atrapalhar o que nos mandaram fazer, ouviste?

A Isaura não dizia nada e só gemia para a malta.

Ficou tudo calado por um instante e a malta a olhar uns para os outros, sem saber o que fazer. — Eh, malta, temos de matar o cão... Foi o Senhor Duarte quem mandou... Ele disse que contava connosco... — O Quim já não estava rouco. — Estamos aqui a demorar isto não sei porquê... — Quem é que está com cagaço? Quem é que se borra nas calças?...

— Eu não!...

— Eu não!...

— Eu não!...

Toda a malta disse eu não e ficaram a olhar para mim a ver o que eu dizia.

— Eu não estou com cagaço, Quim... Eu não me vou borrar nas calças, Quim... — Eu estava a tremer todo quando disse aquilo, mas garanto que não estava com medo nem nada. Então a gente não tinha vindo para matar o cão que andava todo podre que era um nojo? Foi o Senhor Duarte que disse, e porque é que não havíamos de dar uns tiritos? Eu estava era com pena de o matar depois de ele correr uma distância monstra para não morrer por causa da bomba atómica e mais nada.

— Ginho, tira a gaja de cima do cão!

O Quim falava sem olhar para mim.

O Faruk veio buscar a Ponto 22 de Um Tiro, que me tinha caído das mãos quando disparei, e voltou para o lugar dele.

— Então, Ginho, estás com cagaço ou quê?

— Não, Quim, não estou com cagaço, nem nada... Estou só a pensar...

— Pensas depois. Agora vai tirar a gaja do cão. — O Quim falava sem olhar para mim, só a malta é que não tirava os olhos de cima de mim, para ver se eu tinha cagaço ou não.

— Anda lá depressa, que já está escuro... O Senhor

Duarte disse para despacharmos o cão num instante...

A Isaura gemia e olhava para a malta com os olhos todos de fora. Fui andando para onde a Isaura e o Cão-Tinhoso estavam, e ela, quando me via a ir para lá, gemia cada vez mais de alto.

— Isaura, sai daí...

— Tira a gaja, não vês que ela não quer sair?...

— Isaura... A gente quer fazer o que nos mandaram fazer... Sai daí...

— Mas que burro que ele é!... Arranca a tipa, não ouves?

Agarrei-a por debaixo dos braços e ela sacudiu-se toda para que eu a deixasse. Fiz mais força mas ela dobrava as pernas e não ficava de pé. Mas já não lutava como no princípio e só gritava como se eu lhe estivesse a bater.

— Isaura, não vês que foi o Senhor Duarte que mandou?

— O Xangai também queria explicar aquilo à Isaura.

Puxei-a devagarinho e ela largou o pescoço do Cão-Tinhoso, que ficou a olhar para ela e a ganir com a boca fechada como ainda há pouco.

— Isaura...

O Quim estava em cima da pedra e toda a malta apontava as espingardas para o cão.

— Isaura... — Eu queria dizer-lhe qualquer coisa mas não sabia o quê.

— Ummmm... — O Quim começou a contar.

Todos haviam de atirar ao mesmo tempo e por isso as balas não haviam de ser muito custosas para o Cão-Tinhoso. Ele estava ainda a pensar em qualquer coisa e já estava morto.

— Isaura... O Cão-Tinhoso deve já ter visto que os outros cães não querem brincar com ele... Ninguém gosta dele... Eu nunca vi ninguém a passar-lhe a mão pelas costas como se faz com os outros cães...

— Dooooooiiiis... (O Quim levou um tempo enorme a dizer dois).

— Ele deve saber que é melhor morrer do que aturar aquilo tudo, os miúdos de primeira classe a atirar-lhe pedras e a fazer rodinhas para lhe chamar Cão-Tinhoso, a Senhora Professora a dizer-lhe suca e o Senhor Administrador a mandar o Doutor da Veterinária matá-lo por ele ter feridas por causa da bomba atómica...

— Iiiii...

A Isaura gemia e estava toda mole, a não querer andar e com os olhos todos saídos a olhar o Cão-Tinhoso. Eu também tinha pena de ver o Cão-Tinhoso a morrer, mas não adiantava nada levá-lo para casa e tratar-lhe as feridas e fazer uma casinha para ele dormir, porque ele era capaz de não gostar disso. Eu sabia que ele já sabia de muitas coisas para só querer o que qualquer cão podia ter. O Cão-Tinhoso devia estar à espera de qualquer coisa diferente do que os outros cães costumam ter, sempre com os olhos azuis a olhar, mas tão grandes que parecia uma pessoa a pedir qualquer coisa sem querer dizer. E mesmo quando olhava para os outros cães, para as árvores, para os carros a passar, para as galinhas do Senhor Professor a debicar no chão por entre as patas dele, para os miúdos de primeira classe a jogar berlindes ou outra coisa qualquer, para o Senhor Administrador e para os outros a jogar à sueca na varanda do Clube aos sábados à tarde, para o Quim a contar coisas na loja do Sá, para a Isaura a dar-lhe o lanche e a falar com ele, sempre quando olhava, estava a pedir qualquer coisa que eu não entendia mas que não devia ser só para lhe tratarem as feridas, para lhe darem de comer ou para lhe fazerem uma casinha.

— TRÊS!

Ficou tudo parado e até a Isaura calou-se e ficou dura.

— Atirem, pôrra!

— Isaura... — Eu queria dizer-te qualquer coisa, queria dizer-te tudo o que estava a pensar.

— Pôça, ninguém atira?

— Hum?... — A Isaura olhava para mim com aqueles olhos todos.

— A gente não pode dar nada ao Cão-Tinhoso... A gente não sabe o que ele quer. Palavra que a gente não sabe...

A Isaura ficou a olhar para mim sem ter compreendido, porque eu falei muito depressa.

— Eu vou contar outra vez até três, mas ai do gajo que não atirar!...

— Isaura!...

— Um... Doi... zi... Três!...

Logo ao primeiro tiro a Isaura agarrou-se-me de tal maneira que caímos, e eu fiquei com tanto medo que lhe gritei: «Tapa-me os ouvidos!» Ela meteu-se toda no meu peito e procurou-me as orelhas com as mãos. Os tiros rebentavam por todos os lados e mesmo com os olhos fechados eu via fogo a saltar dos canos das espingardas. O corpo da Isaura estava duro e estremecia a cada estoiro.

Os tiros rebentavam sem parar, mas quando a Calibre 12 de Dois Canos do Quim disparava, o chão tremia e as árvores faziam «Haa!...» até ao longe. O cão já devia estar morto mas eles continuaram a atirar. Sentia o ar quente como o corpo da Isaura e tinha a boca cheia de pólvora, e isso dava-me uma danada vontade de tossir, mas não conseguia fazer isso porque estava cheio de medo do assobiar das balas que passavam por cima de nós; é que esse assobiar só acabava noutro estoiro, que também não tinha eco porque mesmo antes de a bala acabar de assobiar o mato rebentava com outro estoiro.

Os tiros acabaram de repente e a Isaura ficou como

morta, por cima de mim, mas muito rija. Quando ia a sacudi-
-la, vi por entre o capim o Quim a meter um cartucho na
câmara e a fechá-la. O mato todo estava ainda cheio do
barulho dos tiros a afastar-se de nós, quando do buraco
escuro do cano da Calibre 12 brilhou um fogo rápido e quase
branco e ao mesmo tempo se ouviu o estoiro. A Isaura deu um
berro com toda a força e voltou a enfiar-se pelo meu corpo.
Depois, ao mesmo tempo que o estoiro ia rebentando pelo
mato fora, cada vez mais longe, ouviam-se outra vez os
gemidos da Isaura. Eu sentia a barriga dela muito quente e
suada, toda colada à minha.

— Chega, malta, vamos embora — O Quim estava mais
rouco do que ainda há bocado. À nossa volta o capim fazia
«fff-fff» quando eles andavam.

— Ó pá, quando mandei o SG, o tipo comeu em cheio no
peito... Eu vi-o levantar-se todo do chão e a enterrar-se todo
no capim... Ainda ressaltou como se fosse de borracha, vocês
não viram?

— Eu acertei-lhe no olho esquerdo quando o tipo ainda
estava de pé. O focinho até lhe ficou todo para o lado com a
força da bala...

—...E depois meti dois 3As e mandei-os quase ao mesmo tempo para os cornos do gajo. O tipo deve ter ficado com
a cabeça toda rebentada...

— Ó pá, tu com o SG mataste-o logo... A gente atirou
para um alvo já morto...

— E depois? O que é que tens com isso?... Eu atiro com o
que bem me apetece...

A Isaura gemia para mim e chorava baixinho, sem lhe
saírem lágrimas dos olhos. O cabelo dela estava cheio de
capim mas só cheirava à pólvora quando se me metia pelo
nariz adentro.

— Isaura...

A barriga dela ficou dura, toda colada à minha.

— Vamos embora...

As unhas dela furavam-me o pescoço, mas eu gostava e não me mexia.

— Isaura...

A cara dela estava quente como a barriga.

— Eu só gostava de saber o que é que aqueles dois estão para ali a fazer escondidos no capim há uma data de tempo...

— Foi o Quim.

A Isaura levantou-se logo e pôs-se a compor o vestido, toda envergonhada. Depois olhou para mim e fugiu para as árvores. Durante algum tempo ainda ouvimos o barulho do vestido dela a rasgar-se pelas micaias, mas depois ficou tudo em silêncio.

— Vamos embora!...

O Quim veio ter comigo no intervalo do lanche. Eu vi que era ele mesmo sem deixar de olhar para os cães a brincar do outro lado da estrada.

— Ginho...

— Diz.

— Isto é uma chatice...

— É...

Sentou-se nas escadas ao pé de mim e ficou também a olhar para os cães.

— Eles não queriam brincar com o Cão-Tinhoso — apontava para eles — eles não queriam brincar com o Cão--Tinhoso!...

Falava com muita força e espalhava os braços para todos os lados. — Foste tu que me contaste isso, não foste?...

Os sapatos da Senhora Professora faziam «cóc, cóc, cóc», atrás de nós, mas como eu estava a conversar com o Quim e

a olhar para outra coisa, não precisava de me levantar.
— Sabes?... A Isaura foi dizer ao pai que nós...
— O quê?
— Ela pediu ao pai para nos bater...
— Bater?... Porquê?
— Porque nós matamos o Cão-Tinhoso!...
E ria-se com força, todo torcido. — Não é tramada? E esta, heim?... Bater-nos porque nós matamos o Cão-Tinhoso!... — bastard!
Depois calou-se. Aí falou a Senhora Professora:
— Meninos, para a aula!
— Ginho... Tu passas-me a prova? — O Quim abraçou-me pelos ombros. — Deixas-me copiar?...
— Está bem.
— Ginho... Tu estás zangado comigo? A gente não devia ter liquidado o cão?... Foi o Senhor Duarte que mandou... Tu também estavas lá... — guilt?
— Eu não estou zangado nem nada...
— Então passas-me os problemas?... Passas-me?... Eu faço-te o desenho...
— Está bem.
— Meninos! Para a aula! Para a aula, já disse!
E fomos para a aula.

INVENTÁRIO DE MÓVEIS E JACENTES

⌐ unclaimed?

As portas e as janelas estão fechadas. O Papá não gosta de dormir com as portas e as janelas abertas não sei porquê. Pode-se pensar que é por causa da doença, mas eu acho que ele foi sempre assim. Ele agora dorme no nosso quarto porque os médicos, quando lhe deram alta, recomendaram-lhe que dormisse numa cama dura, o que se improvisou no nosso quarto, já que não convinha mexer na cama de casal, no quarto dele.

O ar está pesado neste quarto, porque além de estar tudo fechado, dormem aqui, incluindo-me, 5 pessoas. Às vezes somos 6 e isso dá-se mais frequentemente, porque a cama agora ocupada pelo Papá é normalmente ocupada pela Tina e pela Gita, que agora dormem com a Mamã no outro quarto.

O Papá ressona. A Lolota e a Nelita na outra cama ressonam. A meu lado, aqui, debaixo do meu braço, o Nandito ressona também. Ontem, quando fui sorrateiramente abrir a porta, depois de deixar que os outros adormecessem bem, ouvi ressonar no outro quarto. Não sei se era a Mamã

ou se era a Tina. Devia ter sido a Mamã. Sim, acho que foi a
Mamã, embora não tenha a certeza. Será que eu também
ressonarei quando adormecer?

O Nandito mudou de posição e disse qualquer coisa.
Deve estar a sonhar.

Além do quarto em que estamos e do outro em que está
a Mamã, a nossa casa tem mais 2 divisões: a sala de visitas
e a sala de jantar. Esta última tem as paredes enegrecidas
pelo fumo, porque dantes a Mamã tinha ali o fogão, a um
canto. É ocupada por 1 mesa já despolida e sem estilo,
rodeada por 7 cadeiras, uma de cada espécie, um armário em
que alguém escreveu «Elvis», e vários sacos no canto, atrás
da porta. Às refeições, como não cabemos todos à mesa, a
Gita e a Nelita sentam-se no chão, viradas uma para a outra
e encostadas, uma aos sacos e a outra ao armário. Ao meio
fica o prato de alumínio. Quando faz frio sentam-se sobre
uma esteira. Invariavelmente o prato contém arroz e caril
de amendoim. Naturalmente um dia uma delas enjoou e
virando a cara pegou num lápis e escreveu «Elvis» no
armário. Acho que devia ter sido assim porque a inscrição
está num ponto tal do armário que forçosamente foi feita por
alguém sentado ao nível do chão.

A sala de visitas tem uma parede comum com o quarto
onde estamos e outra com o quarto onde está a Mamã. Além
da porta que dá para a varanda, tem outra que dá para um
quartito a que chamamos Corredor, para onde também dão
a porta deste quarto, a da sala de jantar, a do quarto da
Mamã e a da casa de banho.

Acho que a Mamã tirou o fogão da sala de jantar por

causa do fumo, embora as paredes já estejam todas negras.
Talvez fosse porque as paredes do corredor e dos quartos
começassem a enegrecer também. Agora a Mamã cozinha
numa palhota que se construiu a um canto no quintal.
Apesar de se ter mudado para lá há bem pouco tempo, a
palhota está quase negra, tanto por dentro como por fora.
Agora deve lá estar a dormir o Madunana. A palhota não tem
nada a vedar a entrada. O Totó deve lá estar a dormir
também. Não o ouço a ladrar.

Para se passar da sala de jantar para a sala de estar tem-
-se forçosamente de passar pelo Corredor. Acho que por lá
passamos sempre que vamos de uma divisão para outra.
Entre a porta que dá para a casa de banho e a que dá para
este quarto, encostada à parede do Corredor, há uma estante
com 5 prateleiras todas cheias de livros. Tem a cobri-la uma
cortina feita dum pano idêntico ao do das cortinas da sala de
visitas. As cortinas do quarto da Mamã são também do
mesmo pano. Só neste quarto é que as cortinas são diferen-
tes. São dum pano grosso e amarelado. A Tina diz que o pano
é feio, mas quando o Papá esteve preso tirou 2 cortinas e com
elas fez 1 saia que não era parecida com nenhuma saia que
eu me lembrasse de ter visto. Eu acho que era feia.

L poverty

O Nandito voltou a mudar de posição e a falar. Parece que
está com vontade de ir à casa de banho. O colchão faz o
barulho de palha a esmagar-se. Todos os colchões das nossas
camas são de palha, menos o da Mamã. Esse é de sumaúma.
Foi comprado em segunda mão pelo Mano Mário, que depois
o vendeu ao Papá. É um bom colchão e eu gosto de descansar
nele. Quando estou de férias quase que passo o dia lá

deitado. O Papá zanga-se quando me vê lá, e, por isso
mesmo, tenho o cuidado de evitar que me apanhe. A Tina
está o tempo todo à espera de ver quando é que eu saio para
se ir lá deitar também. A Mamã disse uma vez que a preguiça
é um defeito feíssimo numa mulher, e eu repeti isso mesmo
à Lolota quando uma vez a vi deitada no colchão de
sumaúma.

Além do colchão de sumaúma e da cama que o contém, o
quarto da Mamã tem 1 berço em que dormem o Joãozinho e
a Carlinha, 1 cómoda, 1 guarda-fatos, 2 mesinhas de cabeceira, uma de cada lado da cama do colchão de sumaúma, e
1 mala de cânfora sobre a qual estão várias malas de viagem.
Sobre as malas de viagem deve estar o monte de roupa que
a Mamã engomou durante a tarde de hoje. Em comparação,
o quarto da Mamã é melhor do que o nosso, que além das 3
camas e 2 mesinhas de cabeceira, só tem 1 mala de cânfora.

Debaixo desta cama está guardado o meu material de
desenho e pintura, contido em dois caixotes de madeira. Há
ainda mais 3 caixotes com livros. Debaixo da cama em que
está o Papá há mais caixotes com livros. As revistas estão
distribuídas pelas 4 mesinhas de cabeceira dos dois quartos.
As mais apresentáveis estão na sala de visitas, sobre a mesa
de centro, sobre o aparador, sobre a máquina de costura e na
mesinha do rádio. Se agora quisesse ler uma revista ia
direitinho à mesa do centro, porque lá é que estão as «Lifes»,
as «Times» e os «Cruzeiros» mais recentes. Nos outros
lugares da sala de visitas estão as revistas mais antigas e
as mais ordinárias. Na mesa do centro está também o
«Reader's», mas talvez nem lhe tocasse porque parece que

não é grande coisa. O Papá diz que é uma porcaria. Bem, mas para ele todas as revistas que a Mamã costuma pôr na sala de visitas são uma porcaria. É por isso que não tenho assim tanta vontade de sair da cama embora não tenha sono nenhum.

DINA

Dobrado sobre o ventre e com as mãos pendentes para o chão, Madala ouviu a última das doze badaladas do meio--dia. Erguendo a cabeça, divisou por entre os pés de milho a brancura esverdeada das calças do capataz, a dez passos de distância. Não ousou endireitar-se mais porque sabia que apenas devia largar o trabalho quando ouvisse a ordem traduzida num berro. Apoiou os cotovelos aos joelhos e esperou pacientemente.

O sol estava mesmo em cima do seu dorso nu, mas convinha suportar um pouco mais. Contou o tempo pelo número de gotas de suor que lhe pingavam pela ponta do nariz para uma pedrinha que brilhava no chão, a seus pés, e concluiu que o capataz devia estar muito zangado. Voltou a espreitar as pernas a dez passos de distância e viu-as ainda na mesma posição. Alongando a vista para além delas, viu a mancha escura do corpo do Filimone, igualmente dobrado sob a superfície das folhas mais altas dos pés de milho, aguardando a ordem de largar o trabalho.

A dor de rins era-lhe insuportável, e muito pior agora que já tinha tocado o dina. Quando os músculos do pescoço lhe começaram a doer pela torção a que os submetia, mantendo a cabeça erguida, deixou cair os braços até tocar nas folhi-

nhas carnudas e escorregadias das ervas que devia arrancar. Maquinalmente, apalpou-as para sentir a resistência do
caule diminuto, entranhou-os dedos por entre os raminhos e
retesou o corpo. Embora a planta não suportasse grande-
mente o empuxão, os tendões da parte posterior da arti-
culação do joelho latejaram-lhe dolorosamente. Depois
ergueu a planta para se reanimar com o cheiro forte da terra
que vinha presa às raízes esbranquiçadas.

Enquanto aspirava sofregamente, com as raízes da
planta apertadas contra o lábio superior, observou o buraco
que se produzira no chão. Realmente, o dia estava muito
quente porque nem um fio de vapor se escapava de lá.

De madrugada, e durante as primeiras horas da manhã,
ainda húmido do orvalho nocturno, o chão humoso da machamba fumegava mesmo dos torrões mais pequenos e o
trabalho não cansava tanto. Mas quando o sol já ia alto, só
dos buracos deixados pelas plantas é que saía algum vapor,
e mesmo daí, cada vez durante menor espaço de tempo.

Deixou cair a planta e escutou. Nada. Só o ulular da brisa por sobre as folhas mais altas do milho.

Voltou a endurecer o corpo e a deixá-lo pender para trás
até que a planta que tinha segura na mão deixasse de
oferecer resistência. É que assim poupava os movimentos
até ao imprescindível. O esforço de arrancar uma planta
resultava da aplicação de parte do peso do próprio corpo, e
não de contracções dos músculos dos braços, que só dobrava
de vez em quando, para sorver a força dos torrões que
vinham presos às raízes.

Quando arrancou a sétima planta desde que ouvira a
última badalada do dina, o velho voltou a espreitar por entre
os pés de milho, receando não ter ouvido a voz do capataz.
Apurou o ouvido durante um pedaço, mas só ouviu o
murmúrio abafado da ondulação.

Madala encurvou-se para a frente até experimentar uma dor lancinante, mas nessa altura já tinha a planta bem segura e inclinou-se para trás, até que ela se desprendeu do chão. Por entre as raízes saltou um escorpião, mas como não lhe conviesse erguer-se e não tivesse uma enxada à mão, deixou-o fugir. Um pouco assustado, Madala pensou que se fosse mordido por aquele escorpião teria dores horríveis durante três dias e talvez morresse no quarto. Sim, já não era tão robusto que pudesse resistir ao veneno de um escorpião daquele tamanho depois de três dias de dores.

Às primeiras horas da manhã ainda saltavam gafanhotos das folhas das plantas que arrancava, mas àquelas horas só apareciam escorpiões, lacraus, lagartixas e até mesmo cobras. O Pitarrossi morrera mordido por uma cobra que o atacara quando trabalhava naquela machamba. Nenhum dos outros conhecera o Pitarrossi, mas todos deviam conhecer a mulher dele, que depois disso começara a dormir com os homens que lhe pagavam bebidas nas cantinas. [Primeiro dizia que só se deitava com quem lhe desse vinte escudos, mas agora só lhe interessava beber.] Quando havia magaíças, embebedava-se de tal maneira que não era preciso dar-lhe nada, e, então, qualquer um, mesmo que trabalhasse nas machambas, levava-a para o capim alto atrás das cantinas. Mas todos sabem que quando é assim, ela adormece logo e só acorda quando o homem se levanta.

[Só ele é que já estava tão velho que não ia dormir com ela. Além disso, tinha conhecido o Pitarrossi.]

Madala arrancou mais duas plantas e esperou, de cotovelos apoiados aos joelhos. O sol parecia aproximar-se a cada instante, mas já devia faltar pouco para o capataz mandar largar.

De repente, sentiu o violento esticão dos fios da sua doença. Era o primeiro nó.

Atendendo à ordem do capataz, Madala não se tinha apercebido do esticar dos fios, mas agora, depois de sentir o primeiro nó por entre as dobras do intestino, endureceu o corpo na vã esperança de contrariar o enlaçar dos fios com a tensão muscular. Todavia, o fio que descia por dentro da garganta encrespou-se por alturas do meio do peito, formando um novelo que deslizou rapidamente para o estômago. Durante os segundos de expectativa, as veias do pescoço quase que explodiram no seu latejar tenso e o corpo estremeceu-lhe convulsivamente. As folhinhas da planta que tinha nas mãos desfizeram-se, exalando uma fragância opressiva. O segundo nó quase que lhe arrancava os rins, mas pelos lábios apertados de Madala nem um único queixume se escapou.

«Por que é que o branco não manda largar?...» — Murmurou Madala, tentando alcançar os raminhos de um arbusto. — «Desde que tocou o dina as sombras já cresceram dois palmos»...

Ao puxar o arbusto, Madala não pôde evitar que os joelhos se lhe dobrassem e, como não largasse o apoio dos raminhos, caiu de borco.

Quando veio o espasmo doloroso do nó, as pernas endireitaram-se-lhe violentamente.

Pouco depois, com o corpo estirado sobre a terra seca e fofa, sentiu os fios a afrouxar gradualmente. Fechou os olhos com força e esperou que as dores desaparecessem.

De joelhos, já recomposto da crise, Madala lançou mão a um tufo de ervas e desenterrou-as devagar.

«Não se pode trabalhar de joelhos...» — murmurou enquanto deixava cair as ervas. Agarrou o caule de um pequeno arbusto, mas antes de o arrancar separou o molho de caules das ervas que acabava de atirar ao chão e contou-os: «Um... dois... três... quatro... cinco...».

Quando acabou a contagem arrancou violentamente a planta que mantinha na mão direita e alinhou-a às outras: «seis...».

«Não se pode trabalhar de joelhos...» — sibilou, enquanto esmagava com os dedos as folhinhas da sexta planta.

Com um suspiro deixou-se tombar sobre o ombro direito e enrodilhou-se no chão, apertando o queixo aos joelhos. Com certa satisfação, lembrou-se dos fios da sua doença, agora quietos em volta dos seus órgãos. Levou à boca o que restava da sexta planta e começou a mastigar de olhos fechados.

— Chega, rapazes! Vamos comer!

«Sete! Oito! Nove! Dez!...» — Madala ergueu-se precipitadamente e arrancou as quatro plantas. Depois passou os dedos pela testa para espantar umas gotas de suor que quando escorriam provocavam ardor nos olhos.

Não se levantou logo. Não convinha que o capataz notasse que tinha pressa em largar o trabalho.

Quando aflorou à superfície experimentou um último esticão e uma vaga tontura. O n'Guiana e o Mutakati já estavam de pé, mas o capataz dizia-lhes:

— Para começar são umas comichões que nunca mais acabam, mas para despegar é a correr, não, meus cabrõezinhos? Continuem assim que eu desanco-vos o lombo...

O Filimone, que estava só com a cabeça de fora, afundou-se até aos olhos quando ouviu os berros do capataz, mas, vendo o Madala, ganhou coragem e endireitou-se com uma espécie de desafio no olhar.

Aos poucos, o Tandane, o Djimo e o Muthambi foram emergindo da machamba, com os olhos postos no capataz.

O corpo do Djimo estava todo coberto de suor, mas mesmo assim o Madala observou a dança bonita dos seus músculos assustadiços debaixo da pele da cor da areia do rio.

— Vamos ao chicafo!...

O capataz iniciou a marcha e os outros seguiram-no em silêncio.

Madala estendeu o olhar em volta, sentindo um certo prazer em magoar a vista nos pedaços de sol que saltavam das folhas lisas do milho. «Machamba é como o mar».

Os outros já iam longe, meio mergulhados na espessura esverdeada da machamba, caminhando lentamente como se realmente estivessem a vencer um meio líquido.

Madala continuou imóvel: «Machamba é como o mar»... insistiu enquanto seguia com a vista o ondear da superfície uniforme da machamba. Só lá longe é que se desfazia a onda em que viajava o olhar de Madala, assaltada por mil fulgurações prateadas, pequenos sóis tornados cometas pelo vento.

Quando Madala chegou ao acampamento, os outros grupos já tinham chegado. Alguns deles já tinham almoçado. O grupo do desbravamento, que era sempre o primeiro a chegar, estava agora disperso pelas sombras. A maior parte dos seus homens dormia, para se recompor do esforço dispendido durante a manhã. O grupo da horta devia ter tardado, porque José, o seu kuka, ainda estava a fazer a fogueira para a botwa de farinha.

Madala dirigiu-se para um dos celeiros velhos e sentou-se à sombra, escolhendo lugar entre os homens do grupo do curral, que, ao vê-lo aproximar-se, deixaram de conversar sobre mulheres e vestiram um ar mais reverente.

— Madala, como é que vão as coisas no teu grupo? —

social awardness

perguntou uma voz. Madala não respondeu prontamente, porque antes de emitir qualquer opinião, tinha de repetir a pergunta interiormente e ouvir a resposta do seu íntimo.

— Faz muito sol na machamba... — desculpou-se a voz ante o mutismo de Madala.

— Sim, faz muito sol na machamba...

Sentindo a obrigação de continuar a fazer-se ouvir, a voz arriscou:

conditions — E o branco não sai de cima de vocês...

Madala fitou a cara jovem do seu interlocutor e tentou lembrar-se de qualquer coisa que pudesse dizer, de maneira a fazê-lo compreender que não era necessário que continuasse a mostrar-se interessado.

— O branco é mau... — continuava o rapaz.

— Ele demora muito antes de mandar largar... Eu via isso quando trabalhava na machamba... Também não deixa as pessoas endireitar-se por um bocado para descansarem as costas... Eu vi isso numa vez... — Subitamente inspirado, o jovem virou-se para os outros — isto não é mentira, juro que não é mentira... Uma vez, estávamos nós a trabalhar na machamba com o branco. Fazia muito sol... toda a gente sabe que faz muito sol na machamba... Vocês vão ver porque é que eu digo que o capataz é mau. Estávamos nós a trabalhar na machamba... Fazia muito sol na machamba... — o jovem continuou a narração, cada vez mais tomado pelo entusiasmo, transferindo a audiência das suas palavras de Madala para os seus companheiros.

O velho observou o capataz, que sentado num caixote, a uma das sombras contíguas, se servia do seu almoço. Diante dele as marmitas empilhavam-se sobre um outro caixote que servia de mesa. Comia com muita vontade e bebia o vinho pelo gargalo.

Quando Madala ia às cantinas, no fim do mês, oferecia um pouco do seu vinho aos amigos, mas o capataz nunca oferecia o seu vinho a ninguém embora nem sempre acabasse as garrafas que a mulher lhe mandava para o almoço. O vinho era de um amarelo sujo e a garrafa estava toda suada. Quando o branco bebia, até fechava os olhos.

— Madala! — Era o Djimo — Madala, vamos comer... Pelas sombras, os homens dos vários grupos da propriedade descansavam e comiam. Havia muitos que Madala nem conhecia, mas todos o conheciam, e o cumprimentavam, quando passava.

— Madala! Eu não te disse logo, mas era só por causa do branco. Está ali a tua filha.

A Maria vinha já ao encontro deles:

— Boa tarde, pai!...

— Boa tarde, minha filha.

O Djimo aproximou-se de Maria:

— Maria, eu fui buscar o teu pai para o veres, mas só agora é que lhe disse que estão aqui, porque o branco estava a comer num sítio perto do lugar onde ele estava sentado...

— Maria, como é que estão as pessoas lá de casa?...

— Madala, é melhor ires falar com a tua filha naquela sombra. Lá não há sol. É melhor... Maria, vai para aquela sombra e leva o teu pai contigo para falares com ele. Lá não há sol...

O Djimo parecia gostar muito da Maria, mas o velho sabia que como ela dormia com muitos homens ninguém queria casar-se com ela.

— Maria, como é que estão as pessoas lá em casa?...

— Lá em casa estão todos bons, pais. Eu vim cá para te ver...

— Eu estou bom, minha filha...

Todos os homens do acampamento olhavam para a Maria, percorrendo-lhe as formas apetecíveis por sobre a capulana.

— Boa tarde, Maria!... Todos a cumprimentavam, buscando um olhar, mas ela respondia sem afastar os olhos do chão.

Madala e Maria ficaram calados durante um pedaço. Maria sentiu-se embaraçada com os olhares que os homens lhe lançavam.

— Madala, não queres vir comer? — Era outra vez o Djimo. — Agora é mesmo para comer porque o n'Guiana e o Muthakati já acabaram de fazer a comida. Agora não é só para o branco não perceber que a tua filha veio aqui para te ver... É mesmo para comer.

— Eu fico aqui com a minha filha, Djimo.

O capataz surgiu da esquina do celeiro e aproximou-se com um cigarro na mão:

— Olá, Maria! O que é que vieste cá fazer? Estás a engatar o Madala?... Ao Madala não deve ser porque está muito cocuana... Talvez seja ao Djimo... Maria, tu estás a engatar o Djimo?...

— Eu não está engatar Djimo... — respondeu Maria, tentando falar em português.

Divertido, o capataz interrompeu o movimento de levar o cigarro à boca:

— Mas tu não gostarias de dormir com ele?

De olhos postos no chão, Maria não respondeu.

— Madala, vamos comer... As pessoas que trabalham na machamba ou noutra parte qualquer precisam de comer quando chega o dina!

Madala não se pôde pronunciar imediatamente. Naquele momento olhava para a filha, tentando descobrir o que ela sentiu quando o capataz lhe dirigira a palavra. Maria desviou o olhar.

— Pai... Eu penso que é melhor ires comer.

Maria esgaravatava o chão com um pé. Ao ver que o pai conhecera o seu nervosismo, recolheu o pé precipitadamente. Cruzou os braços sobre o peito e apertou as costas com as mãos.

Madala aproximou-se mais da filha e tentou espreitar--lhe os olhos ensombrados pelas pestanas descidas.

— Porque é que tu pensas assim?

Ao ouvir a voz cava mesmo junto à sua cara, Maria esquivou-se ainda mais, quase que ficando de costas para o pai.

— Bem, eu não tenho nada... Eu não tenho nada que me faça pensar assim... — calou-se por um bocado, mas logo continuou um pouco mais animada — eu não sei, pai, mas penso que tu precisas de ir comer...

Madala contornou o corpo de Maria e pôs-se-lhe em frente, com os joelhos exageradamente dobrados, tentando ver-lhe os olhos definitivamente escondidos por detrás das pálpebras.

— Tu pensas assim?...

— Tu precisas de ir comer, pai... — de olhos fechados, Maria falava mais afoitadamente.

— Mas eu não tenho fome nenhuma na minha barriga...

— Madala abriu os braços como que admirado. — Tens de ver que não tenho fome nenhuma na minha barriga...

Maria não retrucou.

— E tu não queres comer, minha filha?

— Eu comi nas cantinas, antes de vir ver-te. Quando eu ia a passar pelas cantinas uma pessoa amiga viu-me e chamou-me lá para dentro. Essa pessoa amiga comprou-me umas coisas e disse — toma lá, isto é para tu comeres — e eu comecei a comer. Maria abriu os olhos, mas fechou-os imediatamente.

— E agora já não tens fome? Não queres ir comer da comida do meu grupo? — A voz de Madala estava ansiosa.

— Não, meu pai, o que essa pessoa amiga me ofereceu para comer deixou-me satisfeita e agora já não tenho fome. Eu fico aqui à tua espera enquanto comes.

Djimo censurou o Madala:

— Madala, a tua filha está a dizer coisas muito certas...

E Madala desistiu:

— Está bem, eu vou comer e tu esperas-me aqui...

Maria abriu os olhos quando pressentiu o pai a afastar-se.

O velho partiu um pedaço de côi, molhou-o no tacho do m'tchovelo e levou-o à boca. Os outros imitaram-no. Comiam silenciosamente. O m'tchovelo estava delicioso, todo cheio de gordura.

Do ponto em que estava sentado, Madala podia ver a Maria, meio oculta, à sombra de um celeiro. Embora estivesse o tempo todo a olhar para lá, não viu o capataz a chegar.

Maria respondeu às perguntas do branco sem tirar os olhos do chão.

Madala sentiu pena de não poder ouvir o que diziam, e, por isso, perguntou ao seu íntimo o que é que um homem diz a uma mulher quando quer ir dormir com ela. O seu íntimo estava adormecido.

O capataz parecia zangar-se com a Maria, mas às vezes falava docemente. Tirou um pacote de cigarros do bolso, abriu-o, escolheu um, acendeu-o e apagou o fósforo asso-prando-lhe uma nuvem de fumo. Manteve a mão no ar, brandindo o palito ardido à medida que falava.

Quando acabou de fumar o cigarro, voltou as costas à Maria e desapareceu na esquina do celeiro. Pouco depois a Maria tomava o mesmo caminho.

O côi já estava muito reduzido, mas Madala tinha a certeza de que ninguém saciara a fome. O último bocado era para o n'Guiana e o Muthakati, os kuka do grupo. Os restos do m'tchovelo também eram para eles.

Depois de sugar das mãos os últimos vestígios de comida, Madala esfregou as mãos uma à outra e passou-as pelo cabelo. Dando a refeição por finda, levantou-se. Os outros imitaram-no.

Ainda faltava algum tempo para serem horas de voltar a mergulhar na machamba, e por isso Madala olhou em volta, procurando um sítio para descansar.

Os homens do grupo do curral afastaram-se e o velho voltou para o sítio onde antes tinha estado. O jovem que ainda há pouco lhe dirigira a palavra fitava-o agora com uma expressão deliberadamente irónica:

— Madala, a tua filha está ali atrás, a conversar com o branco...

Elias, o encarregado dos homens do grupo do curral não gostou da provocação:

— Quando as pessoas não compreendem certas coisas devem calar-se.

O silêncio tornou-se pesado. Madala buscou com a mão uma planta que sentira junto à sua perna esquerda. Pren-dendo-lhe os raminhos entre os dedos, enrolou uma boa parte do caulezito maleável em volta do pulso e puxou com determinação. O arbusto desprendeu-se da terra com uma explosão surda.

Djimo aproximou-se:

— Madala, queres que eu faça alguma coisa?

Madala não respondeu. Por detrás do Djimo, pelo caminho que levava à machamba, o capataz avançava. Dez passos atrás, Maria seguia-o. O velho seguiu o par com a vista. Procurou no chão algo que não encontrou. Os dedos cerraram-se-lhe em volta de uma planta imaterial.

Maria mergulhou os pés no mar verde e chapinhou desordenadamente pelos rebentos tenros do milho da periferia, procurando colocar os pés sobre as pegadas do homem. A espessura verde já lhe tingia os joelhos, mas continuou. Todavia, caminhava mais devagar, embora resolutamente, para vencer a correnteza.

Já muito dentro da machamba, o capataz parou e voltou-se para Maria. Esta também parou, a alguns metros de distância.

— Madala, realmente não pensas em nada de que gostes e que eu te possa fazer sem me custar nada?

Madala viu o capataz a tentar retroceder até onde a Maria estava, e a parar como se mudasse de ideias, poucos passos volvidos.

Andava como se estivesse a atravessar um rio.

Madala pensou que devia dizer qualquer coisa ao Djimo, mas não se lembrou de repetir a pergunta para si mesmo e por isso não soube o que dizer.

O capataz fazia sinais à Maria mas esta parecia não entender.

A planta que Madala segurava na mão oferecia ao seu esforço uma resistência exagerada. Por isso, o punho de Madala tremia.

O homem mergulhou na machamba. Momentos depois a Maria agitou os braços, apoiou-se aos frágeis pés de milho e acabou por desaparecer também. No sítio por onde ela submergiu, as folhas do milho agitaram-se por um pedaço, mas depois a ondulação desapareceu.

O tom da voz de Djimo revelava certo nervosismo:

— Madala...

Mas o nervosismo desapareceu logo. Djimo deu uma ordem:

— Madala, não olhes para lá!

Dentro de Madala, qualquer coisa se crispou. Mas não eram os fios da sua doença.

cliff hanger

Na confusão verde do fundo da machamba, Maria não viu o capataz imediatamente. Esbracejou com aflição, tentando libertar as pernas. Um braço rodeou-lhe os ombros duramente.

O bafo quente e ácido do homem aproximou-se da sua face.

A capulana da Maria desprendeu-se durante a breve luta e a sensação fria de água tornou-se-lhe mais vívida. Um arrepio fê-la contrair-se.

Sentiu nas coxas nuas a carícia morna *tepid* e áspera dos dedos calosos do homem.

Madala olhou em volta. Ninguém o olhava directamente mas todos os homens do acampamento se tinham disposto pelas sombras de modo a poderem vigiá-lo. Só o jovem do grupo do curral, que ainda há pouco o interpelara, é que mantinha a expressão malcriada.

O silêncio tornou-se opressivo. José, o kuka do grupo da horta, tossiu insistentemente, mas o silêncio manteve-se. Na penumbra do fundo da machamba a pele exangue do capataz adquirira um tom esverdeado. A face, dura, crispada de desejo, encheu momentaneamente os olhos de Maria. O hálito de fogo do homem entrou-lhe pelos lábios entreabertos e embriagou-a num ápice. Maria fechou os olhos sem raiva e abandonou-se à ondulação.

Uma vaga quentura veio com as ondas submarinas, misturou-se às algas crespas do fundo da machamba e borbulhou mansamente no ventre de Maria.

Uma a uma, Madala esmagou as folhinhas da robusta planta imaginária que tinha na mão. Escapou-se-lhe numa espécie de soluço, quando lhe ocorreu que os fios da sua doença lhe tinham minado os órgãos de tal maneira que não lhe sobravam forças para desenterrar uma planta que se agarrasse à terra um pouco mais solidamente do que as que arrancava na machamba.

— Não chores, Madala... — era Djimo.

O n'Guiana e o Filimone foram os primeiros do grupo da sacha. Seguiu-se o José e o Maleísse, que, embora agora trabalhassem no desbravamento, tinham pertencido anteriormente ao grupo do Madala. Num instante todos os homens do grupo da sacha e muitos de outros grupos rodeavam Madala.

Madala começou a acariciar os raminhos agora nus da planta imaginária.

— Maria, o que é que vieste fazer aqui?

A voz do capataz estava rouca.

Esmagado pelo peso do homem, o peito de Maria tinha um arfar brando e compassado.

A voz do capataz chegava-lhe misturada a um longínquo rumor de vagas.

— Por quê fez isso?... — murmurou. — not rape exactly

— Hum?...

— Por quê... — Maria sacudiu o homem com rudeza.

— Hum?... — A mão do capataz fechou-se preguiçosamente sobre o seio de Maria.

— Tu não gostaste?... — O homem pulou para o lado. — Heim?... Não gostaste? — Compôs a roupa e virou-se para a Maria. Hei!... Acabou!... Acorda!...

Os olhos da Maria brilhavam na meia escuridão do fundo da machamba:

— Assim não é bom... De noite é mais melhor! — E houve pânico na sua voz. — Agora Madala viu!... Madala viu... gemeu. Mas você disseste é só para combinar para gente contrar de noite...

— Vamos, rapariga, acabou a festa. Depois dou-te a massa...

Maria sentiu o chão duro da machamba contra as suas costas.

O capataz foi o primeiro a aparecer à superfície do mar verde. Esbracejou para vencer o sentido da maré e avançou em direcção do caminho do acampamento.

Quando a Maria surgiu à superfície foi prontamente envolvida pelo sopro prolongado da exclamação do mar. Sacudiu da capulana uns torrões de areia e regressou ao acampamento. Ao longo do caminho teve de erguer as mãos de vez em quando, para se defender da ondulação que a passagem do capataz provocara.

Os homens do grupo do curral afastaram-se para Maria passar.

Maria cheirava à maresia. *- metaphor for sex?*

A fisionomia do jovem do grupo do curral que se aborrecera com Madala estava completamente modificada. Os traços do ódio tinham substituído o esgar cínico de ainda há pouco. À quarta tentativa conseguiu emitir alguns sons:

— Madala... faz muito sol... onde tu trabalhas...

Madala pensou que antes de achar as palavras certas devia dizer qualquer coisa:

— Sim, meu filho. Na machamba faz muito sol...

Mas o silêncio não chegou a ser destruído. A Maria não levantava o olhar. De pé, todos os homens do acampamento olhavam para o chão, quietos como estacas.

— Madala... — A voz do jovem continha-se — Madala... Diz-nos o que é que devemos fazer!... Fala e nós acabaremos já com isto tudo... Eles podem matar-nos mas nós não temos medo de morrer...

Um rumor de aprovação elevou-se da massa compacta dos homens do acampamento.

Madala ergueu os olhos e percorreu demoradamente os seus companheiros.

— Madala, todos nós vimos o que ele fez à tua filha, mesmo diante de ti!... Diz qualquer coisa, diz, Madala!... Os olhos súplices do jovem buscavam avidamente um traço de revolta nos olhos de Madala.

O íntimo de Madala estava adormecido. *- X2*

O capataz surgiu pela esquina de um dos celeiros velhos e procurou Maria com o olhar. Quando a descobriu lançou-lhe para o regaço uma moeda de prata:

shames her

— Aí tens o que te devo... — Trazia nos lábios um cigarro fumegante e um sorriso satisfeito.

Maria desembaraçou o braço da capulana. Alguém tossiu. Maria retraiu a mão nervosamente. Cruzou os braços sobre o peito e apertou as mãos às costas.

— Então, Maria?! — Os olhos do capataz estavam cheios de surpresa.

Maria projectou o corpo contra a parede do celeiro e desviou a cara.

Madala observava-a com o seu olhar triste. Ela fechou os olhos.

— Por quê fez isso? — sibilou surdamente.

O capataz descansou as mãos nas ancas e soprou uma breve gargalhada:

— Mas o que é que tens, rapariga? Não queres o dinheiro? Tens medo de o receber? — Calou-se, aguardando a resposta de Maria. Mas continuou: — Tens medo que os rapazes descubram que és uma puta? - *shames*

Maria abraçou-se mais apertadamente e, cravando as unhas nas costas, choramingou:

— Madala viu nós... Madala viu...

— E o que é que isso tem? — O capataz abriu os braços, reforçando a admiração, e depois cruzou-os sobre o peito.

— Madala é minha pai!.. - *dialogue*

— O quê?! — articulou por fim o capataz.

physical A cara amarela tingia-se-lhe rapidamente de sangue.

— Eu não sabia que eras filha do Madala... — gesticulou asfixiado. Eu não sabia... palavra de honra, Madala, palavra *sense of honour* que não sabia... eu não sabia que tinhas uma filha... tão bonita... eu... sou amigo dela... ← *tries to remedy*

O silêncio dos homens do acampamento latejava de tensão.

— Madala... — o capataz aproximou-se de Madala — Madala, se quiseres podes não trabalhar esta tarde... ficas aqui no acampamento a conversar com a tua filha...

Madala escondeu no chão o seu olhar triste. Os seus dedos, desconhecendo o volume da planta invisível, fecharam-se com força.

O silêncio parecia desesperar o capataz. Gaguejando um gesto amistoso explodiu:

— Merda!... Como é que eu havia de saber? — Voltou-se para os homens do acampamento, estendendo-lhes a interrogação.

Mudos, os homens mantinham-se na sua rigidez sombria.

— Merda! — rugiu o capataz, cheio de terror. — Madala... Eu dou-te algum dinheiro e tu vais com a tua filha para as cantinas... — O capataz espiava ansiosamente qualquer vestígio de animação na expressão velada de Madala.

O velho encurvou-se um pouco mais.

— Madala... — balbuciou o capataz. A mão interrompeu-se-lhe no meio do gesto e caiu. — Merda! — recuou até desaparecer na esquina de um celeiro.

O jovem do grupo do curral levantou a voz:

— Madala, todos nós vimos o que ele fez à tua filha mesmo diante de ti!

Maria subiu as mãos pelas costas e soluçou.

O capataz surgiu pela esquina do celeiro com uma garrafa de vinho na mão:

— Eh rapazes — a sua voz era firme. Encarou o acampamento e berrou: — Vamos trabalhar que já são horas! Vamos embora que já passa da uma e meia! Desbravamento! Maleísse! Elias! Alberto... Os homens do Desbravamento?... Desbravamento, ala! Acabar com a mata do lado do rio... Horta! Embora Horta! Morte aos bichos das couves! Curral!

Grupo do Curral, levar o gado a beber!... Sacha, comigo!
Embora, Sacha, embora para a machamba!
Todos de pé, os homens do acampamento continuaram
imóveis. — protest
Os dedos de Madala ficaram de repente conscientes da
planta imaginária. Abriram-se e voltaram a acariciá-la.
— Então, rapazes?! Não ouviram?... Já tocou! Acabou o
dina! — O capataz gritava com uma irritação crescente.
Olhou para a garrafa que tinha na mão: — Madala!...
Madala levantou-se.
— Vocês não ouvem? Embora, já disse!... Embora
cabrões!... animal
Madala aceitou a garrafa que lhe era estendida.
— Cabrões! Cachorros! Para o trabalho, cachorros!
Todo o acampamento olhava para o Madala. O jovem do
grupo do curral avançou um passo: true leader
— Madala!
Com uma expressão cheia de dureza, Madala relanceou
o olhar pelas fisionomias ansiosas que o cercavam.
A garrafa estava toda suada e o vinho era de um amarelo
sujo, avermelhado. Madala bebeu de uma única vez,
deixando que uma boa parte lhe molhasse as barbas e lhe
escorresse pelo pescoço. Depois devolveu a garrafa vazia ao
capataz.
— Filhos da puta! P'ró trabalho, já disse!...
As estacas oscilaram, fraquejando.
O silêncio era de derrota.
Maria observava tudo, apreensiva.
O capataz brandia a garrafa vazia, segurando-a pelo
gargalo.
— Filhos da puta!
O jovem do grupo do curral cuspiu para os pés de Madala:
— Cão!...

O velho desconheceu o insulto. Voltou-lhe as costas e tomou o caminho da machamba. O n'Guiana e o Filimone seguiram-no.

O Djimo voltou-se para os outros trabalhadores:

— Vamos...

— Depressa! Depressa!... — o capataz rugia. — Depressa, seus cães!

Os homens do acampamento, encabeçados pelo Djimo, iniciaram a marcha de retorno ao trabalho.

— Depressa! — o capataz investiu.

A garrafa partiu-se ao primeiro golpe, mas o jovem do grupo do curral não se moveu. O segundo golpe abriu-lhe o couro cabeludo. Os pés do capataz calcaram-lhe o rosto com raiva:

— Fi-lho-da-pu-ta!

Madala inclinou-se para a frente e enrolou o caule de um arbusto em volta do pulso. Deu um ligeiro puxão para ver se estava bem preso. Depois, deixou o corpo pender para trás até que o arrancou. Colocou-a cuidadosamente no chão, alinhando-o com o monte dos que já tinha arrancado à sua volta. Alongou a vista por entre os pés de milho até distinguir o vulto do Djimo. O Filimone, o n'Guiana, o Muthakati, o Tandane e o Muthambi também estavam perto, Madala conseguia vê-los. Com um suspiro rouco retomou o trabalho.

Por sobre os seus estranhos peixes, a superfície do mar verde era percorrida por uma brisa suave. A ligeira ondulação que lhe era imprimida desfazia-se, avançava e voltava a desfazer-se, murmurando o segredo dos búzios.

A VELHOTA

can't admit weakness

consciousness

Eu juraria que não cheguei a perder o conhecimento embora pouco antes de cair tivesse experimentado aquele estado de embotamento de sensibilidade que, quando nos toma, restringe a nossa capacidade de defesa aos gestos puramente instintivos mas estupidamente lentos, que todos conhecem nos boxeurs «grogues». Acho que ninguém podia avaliar o esforço tremendo que fiz nesses não sei se longos se breves momentos, para conduzir os meus punhos, brutalmente pesados antes de ganharem movimento e incrivelmente flutuantes depois de erguidos. Entretanto, às pancadas que recebia não se aliviava qualquer sensação física porque só lhes percebia o eco diluindo-se lentamente dentro da minha cabeça. Esse maldito eco e só ele é que foi o culpado de eu cair. É que atrapalhava-me muito e fazia com que antes de levantar um braço tivesse de pensar com força que tinha que levantar um braço. Caí lentamente, com plena consciência de estar caindo. *— can't admit*

Primeiro senti-me quase bem no chão, embora o eco continuasse a encher-me a cabeça. Quando abri os olhos veio

o zumbido e senti raiva de mim mesmo por ter caído. O eco
atrapalhava-me a vista a tal ponto que não tinha a certeza
do que via, mas depois, quando a minha vista deixou de
tremer, vi as duas pernas vestidas de escuro, que, nascidas
uma de cada lado do meu corpo cresciam longamente para
cima, tesas e tensas, convergindo para a placa de metal
brilhante do cinto. Por cima delas, lá em cima, perto da
lâmpada do tecto, a cara fitava-me, atenta, sorrindo satisfeita. Voltei a fechar os olhos.

Senti-me a tremer, mas o eco era mais suportável porque
deixava de se processar desordenadamente para ser uma
espécie de latejar. Só voltei a abrir os olhos quando tive a
certeza de que o tipo já se tinha ido embora, farto de provar
aos outros que realmente me batera.

Eu precisava de ir para casa. [Acho que já tinha vontade
de o fazer antes mesmo de entrar no bar, por isso o que
aconteceu lá dentro não era o que me levava a ter tanta
vontade de ir para casa.]Não via a velhota e os miúdos, não
sei desde quando, porque ultimamente voltava à casa muito
tarde e saía muito cedo, mas não tinha bem a certeza de os
querer ver mais alguma vez. A velhota era insípida e os
miúdos eram chatos e barulhentos, sempre com porcarias
para resolver. Claro que isso não era nada que se compa-
rasse àquilo do bar, de há bocado, ou de todos os outros bares,
restaurantes, átrios de cinemas ou quaisquer outros lugares no género em que todos me olhavam duma maneira
incomodativa, como que a denunciar em mim um elemento
estranho, ridículo, exótico e sei lá o que mais. Que nojentos!
E eu sem poder rebentar exactamente por causa do raio da
velhota e dos ranhosos dos miúdos!

Aquilo do bar, ainda há bocado, era afinal o que se

passava: eu não consegui bater o tipo porque ele era todos os outros, e exactamente como isso é que ele me bateu. Não adianta contemporizar, tudo é a mesma coisa. Mesmo os que têm a mania de que fazem excepção só são isso em campos neutros ou quando tenham necessidade de vir até mim, porque em volta deles edificam muros de tabus e defendem-se com os mesmos nojentos olhares enojados sempre que alguém vai para além desses muros. Eu que o diga! Eu precisava de ir para casa. Ia comer arroz e caril de amendoim como eles queriam que fizesse, mas não para encher a barriga. E precisava de ir para casa para encher os ouvidos de berros, os olhos de miséria e a consciência de arroz com caril de amendoim.

Sentada na esteira a velhota estava quieta, a ver os miúdos a comer. De vez em quando levantava-se um e vinha trazer-lhe o prato de alumínio para ela servir-lhe mais. Foi de uma dessas vezes que a velhota deu comigo. Estava com a colher de pau erguida, cheia de arroz, e ia despejá-lo no prato, quando, parecendo lembrar-se de qualquer coisa, se virou para a porta. Logo que me viu espreitou para o fundo da panela e perguntou-me se queria comer.

— Ainda não sei se quero comer ou não — respondi.

Virou-se para o lume, demorou-se um bocado a olhar para as chamas com a concha ainda no ar e depois perguntou:

— Estás zangado? Estás tão zangado que não podes comer e nem sabes se queres ou não?...

— Não, não estou zangado.

A velhota pensou ainda um bom pedaço e resmungou:

— Então está bem, se não estás zangado...

E como ao dizer isto estivesse virada para o miúdo,

perguntou-lhe como se isso lhe interessasse mais do que qualquer outra coisa.

— Quito! O que é que tu estás para aí a mastigar sem parar, Quito?

Antes que Quito desimpedisse a boca para poder responder, a Khatidja berrou lá do fundo:

— Esse Quito está a mastigar a carne que roubou do meu prato sem eu ver! É minha, mamã! Chi? Quito, tu és um ladrão! — e voltando-se para mim — É minha, estou-te a dizer, Mano!

O Quito mostrou na palma da mão tudo o que tirou da boca e admirou-se:

— Esta carne, Kati, esta aqui? Foi a Mamã que me deu, estás a ouvir? — e para mim — Não foi, Mano?

A essa altura já os miúdos estavam num berreiro desgraçado e a velha impôs-se:

— Shhh!...

Calou-se tudo num instante menos a Khatidja, que ainda choramingava:

— É minha... É minha... Ele roubou! Chi! Quito não tens vergonha? Eu vi-te...

Mas os outros miúdos ajudaram a velhota:

— Shhh!...

A Khatidja virou-se para eles:

— Shhh!...

E desataram todos a fazer «shhh».

Com a colher de pau ainda erguida a velhota olhava para aquilo tudo. Depois os miúdos fartaram-se da brincadeira e voltaram a comer e o Quito pôs na boca tudo o que tinha na mão. Só então é que a velhota despejou a colher no prato do miúdo. Antes de lhe pôr caril pensou um bocado e voltou a servir-lhe outra e outra colherada de arroz. Quando o miúdo se ia embora perguntou-me com um ar distraído:

— Mas é verdade que não sabes se queres comer ou não?

— Bem, e se eu quiser? (Aborrecia-me aquela insistência, caramba!).

A velhota pareceu ficar aflita. Espreitou para o fundo da panela e sorriu-se para mim como que a desculpar-se:

— É que só há ucoco!

Lá dos cantos os miúdos comentaram: Chi!! A ucoco?! O Quito fez «shhh» e tudo se pôs a fazer «shhh».

A velhota berrou e os miúdos continuaram a comer.

— E então por que é que insistes em perguntar se quero comer? E o que é que tu vais comer?

— Eu não tenho fome — respondeu a velhota.

— Mas não há mais comida, não é isso?

— Eu não tenho fome... Não tenho, juro que não tenho. Mas se tu quiseres faço chá num instante, queres?

— Eu também não tenho fome.

— Nesse caso faço chá para os miúdos, para eles tomarem, se continuarem com fome.

Depois não me pude furtar ao impulso de abraçar a velhota. Ela manteve-se quieta quando enterrei a cabeça entre os seus seios. Rindo-se nervosa, protestou:

— Mas tu não costumas fazer isso...

E continuou a rir-se até ter coragem de me apertar nos braços.

— Meu filho...

Senti-lhe os dedos ásperos a percorrerem-me timidamente a cara. Depois beijou-me e riu-se muito. Ouvi os miúdos a rirem-se também.

«Tu não costumas ser assim! O que é que foi... Meu filho... Meu filho... Tens fome? Queres que faça chá para ti?»

Eu já não ouvia aquele tom de voz desde não sei quando

e talvez nem me lembrasse de o ter ouvido alguma vez.

— Bateram-te? Diz-me, meu filho, eles bateram-te? Quem foi?

— Não, não me bateram.

— Mas eles fizeram-te alguma coisa, não fizeram? Tu estás com raiva, não é?

Tentei não falar, mas não tive tempo de pensar:

— Eles destruíram tudo, eles roubaram, eles não querem...

Senti-a prender a respiração e endurecer ligeiramente.

— Não queres contar? Não? Não queres?

— Não serve de nada.

Os miúdos aproximaram-se:

— Conta, conta...

— Nada, vocês hão-de crescer, agora não chateiem.

— Sim, meu filho, há o tempo, o tempo... Tudo há-de mudar, tudo há-de melhorar... E quando eles crescerem...

— Hão-de crescer... Pois hão-de crescer nisto...

— De verdade que não queres contar?

— Conta, conta! — e os miúdos rodeavam-nos na esteira.

Não, eu não contaria. Não fora para isso que viera para casa. Além disso, não seria eu a destruir neles fosse o que fosse. A seu tempo alguém se encarregaria de os pôr na raiva. Não, eu não contaria.

— Meu filho...

Acho que me sobressaltei ao ouvir a velhota.

— Meu filho, eu não entendo bem o que estás para aí a dizer, palavra que não entendo. Mas tu tremes, tu estás ou assustado ou muito zangado ou outra coisa qualquer, e o que tu dizes não é bom, porque estás a tremer, palavra que estás a tremer...

Talvez a velhota tivesse razão porque deve ser raro a velhota não ter razão. Mas de toda a maneira isso não modificava nada. Eu não contaria e pronto; e ainda que contasse de que serviria isso? Sim, de que serviria, se a porcaria, o raio da porcaria daquilo tudo viria para aqueles miúdos com outros pormenores, em outras circunstâncias e com outros nomes?

— Eh, vocês todos! Dormir, anda! Sim, dormir, o que é que estão a olhar? Dormir!...

Mas... quem sabe? E também por que não acreditar? Porque não acreditar em qualquer coisa de giro? Como por exemplo que a formação dos miúdos fosse diferente da minha e que lhes conferisse uma condescendência para com aquelas coisas, uma condescendência que as minhas coordenadas emocionais não comportavam... E que talvez, eu sei lá, que talvez para com eles o tempo obrigasse a mais compreensão, mais carinho, sim, a mais humanidade... Porque talvez a velhota tivesse razão, há o tempo, o tempo...

— Meu filho os miúdos já se foram...

— Sim, eu vou dizer: eles bateram-me.

— Quem foi? Mas isso não é tudo, tu tremes...

— Sim, isso não é tudo. E até não é nada. Eles fizeram-me pequenino e conseguem que eu me sinta pequenino. Sim, é isso. Isso é que é tudo. E porquê? Eles nem o dizem de alto. E tudo cai, cai de repente, com barulho aqui dentro, e cai e cai e cai...

— Bem, acho que o melhor é não querer saber disso para nada, porque não percebo nada do que tu dizes...

Ficamos silenciosos os dois, e de tal maneira estávamos abraçados que não sabia se era realmente ela que tremia. Tenho a impressão de que só neste momento é que vi as chamas, embora estivesse há muito tempo a olhar para elas. O seu calor era bom e envolvia-nos, mas para isso elas torciam-se num bailado estranhamente rubro. Só deixei de as olhar quando a velhota falou de uma maneira que me fez

logo pensar que ela tinha estado um bom pedaço a matutar
na maneira de me dizer qualquer coisa que afinal não disse.
Acho que ela só disse:
— Meu filho...

PAPÁ, COBRA E EU

Ginho

Logo que o Papá saiu da mesa para ir ler o jornal na sala de visitas, saí também. A Mamã e os outros deviam demorar-se um pouco mais, mas eu não tinha vontade nenhuma de ficar ali.

Assim que me levantei a Mamã olhou para mim e disse:

— Anda cá! Deixa-me ver os teus olhos!...

Aproximei-me dela devagar porque quando a Mamã nos chama nunca se sabe se está zangada connosco ou não. Depois de me ter levantado as pálpebras com o polegar da mão esquerda, para me observar bem os olhos, voltou-se para o prato e eu fiquei à espera que ela me mandasse embora ou dissesse outra coisa qualquer. Acabou de mastigar, engoliu e levantou um osso para espreitar pela cavidade, fechando um olho. Depois voltou-se precipitadamente para mim e olhou-me com cara de espanto:

— Tens os olhos cheios de veias encarnadas, estás fraco e andas sem apetite.

Ela falava de tal maneira que me sentia obrigado a dizer que não tinha culpa nenhuma, que era sem querer. Todos os outros olhavam muito curiosos, a ver o que é que aquilo dava. A Mamã voltou a espreitar para dentro do osso. Depois começou a chupá-lo, de olhos fechados, e só se interrompeu para dizer:

— Amanhã tomas um purgante...

Assim que ouviram isso, os outros começaram a comer com muito ruído e muito depressa. Como a Mamã não parecesse ter vontade de dizer mais nada, fui para o quintal. Estava tudo cheio de calor e não se via ninguém na estrada. Por sobre o muro do quintal três bois olhavam para mim. Naturalmente voltavam do tanque de água da Administração e tinham ficado a descansar à sombra. Lá longe, por sobre os cornos dos bois, os tufos cinzentos de micaias poeirentas tremiam como se fossem chamas. Ao longe tudo oscilava, e viam-se mesmo as ondinhas que se elevavam das pedras da estrada.

Sentada numa esteira à sombra da casa, a Sartina almoçava. Enquanto mastigava devagar, olhava em volta e às vezes afastava com um gesto distraído as galinhas que se aproximavam à espera das migalhas. Mesmo assim, de vez em quando os frangos mais atrevidos pulavam para a borda do prato e fugiam com torrões no bico. Quando isso acontecia, os outros perseguiam-nos e todos disputavam o bolinho, que por fim ficava tão esfrangalhado que mesmo os pintainhos mais pequenos apanhavam bocados para debicar.

Quando me viu a andar por ali perto, a Sartina puxou a capulana para baixo, de maneira a cobrir melhor as pernas e, mesmo depois disso, conservou uma mão espalmada à frente dos joelhos, pensando, muito convencida, que eu queria espreitar alguma coisa. Mesmo quando eu me virava para outro lado qualquer, ela não tirava de lá a mão.

O Totó apareceu a andar devagar, respirando de língua de fora, e avançou para onde estava a Sartina. Cheirou o prato de longe e virou-lhe as costas, dirigindo-se para a sombra do muro, à procura de um lugar fofo onde se deitar. Quando o achou, enrolou-se com o focinho quase em cima do rabo e só parou quando a barriga assentou no chão. Bocejou sem pressas e depois deixou cair a cabeça entre as patas. Contorceu-se ligeiramente, à procura de uma posição mais cómoda e cobriu as orelhas com as patas. Quando acabou de comer, a Sartina olhou insistentemente para mim antes de afastar a mão com que tapava o espaço entre os joelhos, e só quando se convenceu de que eu não a estava a olhar é que se pôs de pé num pulo. O prato estava tão limpo que até brilhava, mas ela, depois de me lançar um último olhar de desconfiança, levou-o para a celha da louça suja. Andava com um ar cansado e partia-se toda pela cintura quando as nádegas subiam e desciam debaixo da capulana. Debruçou-se sobre a celha, mas como nessa posição as pernas lhe ficassem todas à mostra, atrás, foi para o outro lado da celha para eu não ver.

A Mamã apareceu à porta da cozinha, ainda com o osso na mão e antes de chamar a Sartina para ir tirar a mesa, olhou em volta para ver se estava tudo em ordem.

— Não te esqueças de dar comida ao Totó — acrescentou ela em ronga.

A Sartina dirigiu-se lá para dentro, limpando as mãos à capulana e depois saiu com a imensa pilha de pratos. Numa segunda viagem trouxe a toalha de mesa e sacudiu-a nas escadas. Enquanto as galinhas se atiravam às migalhas, insultando-se e batendo-se, dobrou a toalha em duas, em quatro, em oito e voltou lá para dentro. Quando saiu novamente trouxe o prato de alumínio com a comida do Totó e foi pô-lo em cima da caixa de cimento do contador de água. Mesmo antes de acabar de colocar o prato, o Totó, que não precisa que o chamem para ir comer, já se tinha atirado à comida. Com o focinho desfez rapidamente o monte de arroz à procura dos pedaços de carne que ia engolindo gulosamente. Quando já não havia mais carne, afastou os ossos e comeu um pouco de arroz. As galinhas estavam todas à volta mas não se aproximavam porque já sabiam como é o Totó quando come.

Depois de engolir um pouco de arroz o Totó fingiu não querer mais e foi sentar-se à sombra das canas-de-açúcar à espera do que as galinhas fossem fazer. Estas foram-se aproximando muito a medo da comida do Totó e arriscaram uma e outra debicadela, todas desconfiadas. O Totó olhava para aquilo tudo sem fazer um único movimento. Animadas pela impassibilidade do cão, as galinhas atiraram-se com gosto ao arroz, armando um pandemónio desgraçado. Foi então que o Totó se fez ao monte e distribuiu patada por todos os lados, rugindo como um leão zangado. Quando as galinhas desapareceram, fugindo para todos os cantos do quintal, o Totó foi outra vez para a sombra das canas--de-açúcar, à espera que elas se juntassem novamente.

Antes de ir para o serviço o Papá foi ver a capoeira com a Mamã. Apareceram os dois à porta da cozinha, a Mamã com o avental já posto e o Papá com um palito na boca e o jornal debaixo do braço. Quando passaram por mim o Papá dizia «não pode ser», «não pode ser», «isto não pode continuar assim».

Fui atrás deles e quando entrámos na capoeira a Mamã virou-se para mim como se fosse dizer qualquer coisa, mas desistiu e avançou para as grades de rede.

Atrás da capoeira estavam amontoadas uma data de coisas: tubos que sobraram quando se fez o moinho da machamba, blocos que foram trazidos quando o Papá ainda pensava em fazer uma dependência em alvenaria, caixotes, tábuas de madeira, trapos e eu sei lá que mais. As galinhas às vezes metiam-se por entre aquelas coisas todas e iam pôr os ovos onde a Mamã os não pudesse ir buscar. A um canto da capoeira estava uma galinha morta e a Mamã disse apontando para ela:

— Com esta já não sei quantas galinhas morrem de um dia para o outro. Os pintos desaparecem simplesmente e os ovos também. Mandei deixar esta galinha aqui para tu veres. Eu já estou farta de te dizer e tu não queres ouvir...

— Está bem, está bem, mas o que é que tu queres que eu faça?...

— Olha, as galinhas aparecem mortas e os pintos desaparecem. Ninguém entra na capoeira durante a noite e nem se ouve qualquer barulho. Tens de descobrir a coisa que me mata as galinhas e me come os pintos...

— E o que é que achas que é?

A Mamã pareceu ficar zangada porque respondeu em ronga:

— As galinhas são mordidas e os pintos são engolidos. Só pode ser a coisa que pensas que é se é que a tua cabeça está a pensar em alguma coisa...

— Está bem. Amanhã de manhã mando matar a cobra. Como é domingo é fácil arranjar gente para isso. Amanhã!...

O Papá ia a sair da capoeira quando a Mamã disse, já em português:

— Mas amanhã de manhã sem falta porque não quero ver nenhum dos meus filhos mordido por uma cobra!...

A Mamã esperou que o Papá desaparecesse atrás da esquina da casa, a caminho do serviço, para se voltar para mim:

— Nunca te ensinaram que quando o teu pai e a tua mãe estão a conversar não deves ficar a ouvir? Os meus filhos não costumam ser mal educados. A quem é que tu sais?

E voltou-se para a Sartina que estava encostada à rede da capoeira:

— O que é que tu queres? Alguém te chamou? Eu estou a falar com o meu filho e tu não tens nada que ouvir!

A Sartina não devia ter compreendido aquilo tudo porque não percebia bem o português, mas afastou-se da rede muito envergonhada e foi outra vez para a celha. A Mamã continuou a falar para mim:

— Se tu pensas que me hás-de apanhar distraída para levares a espingarda e ires caçar, estás enganado. Ai de ti se fazes uma coisa dessas! Ponho-te com o rabo em sangue! E se julgas que ficas aqui na capoeira também estás enganado. Não estou disposta a ter maçadas por tua causa, ouviste?

A Mamã devia estar muito zangada porque naquele dia ainda não a tinha ouvido a rir como nos outros dias. Depois de falar comigo, saiu da capoeira e eu fui atrás dela. Quando passou pela Sartina perguntou-lhe em ronga:

— Faz muito calor debaixo das tuas capulanas? Quem é que te disse que hás-de vir para aqui mostrar as tuas pernas a toda a gente?

A Sartina não disse nada mas deu a volta à celha e continuou a lavar os pratos debruçada sobre o outro lado.

A Mamã foi-se embora e eu fui sentar-me onde antes tinha estado. Quando a Sartina deu por isso virou-se para mim zangada e depois de me olhar com os olhos cheios de raiva deu outra vez a volta à celha e começou a cantar uma cantiga monótona, daquelas que ela sabia e às vezes levava uma tarde inteira a repetir, quando se zangava.

O Totó já se tinha aborrecido de brincar com as galinhas e já tinha acabado de comer o arroz. Estava agora a dormir outra vez com as patas em cima das orelhas. De vez em quando rebolava na poeira e ficava deitado de costas com as patas dobradas no ar.

Fazia muito calor e eu não sabia se havia de ir para a caça como era costume todos os sábados, ou se havia de ir à capoeira para ver a cobra.

O Madunana entrou no quintal com um monte de lenha às costas e foi arrumá-lo perto do sítio onde a Sartina lavava os pratos. Esta, quando o viu, deixou de cantar e tentou disfarçar um sorriso desajeitado.

Depois de olhar para todos os lados, o Madunana deu um beliscão na nádega da Sartina, que ficou com um risinho envergonhado e respondeu-lhe com uma palmada sonora no braço. Os dois riram-se satisfeitos sem olhar um para o outro.

O Nandito, o Joãozinho, a Nelita e a Gita sairam nesse momento a perseguir uma bola e puseram-se às caneladas no meio do quintal, muito divertidos.

A Mamã apareceu à porta da cozinha, vestida para sair. Logo que ela surgiu o Madunana baixou-se rapidamente, fingindo procurar qualquer coisa no chão e a Sartina voltou a debruçar-se sobre a celha.

— Sartina, vê se consegues não partir nenhum prato até acabares. Despacha-te. Tu Madunana, deixa a Sartina em paz e mete-te na tua vida. Não quero poucas vergonhas aqui. Se vocês continuam com isso, digo ao Patrão! Tu, Ginho (agora falava em português) toma conta da casa e lembra-te de que já não és nenhuma criança. Não batas em ninguém e não deixes os miúdos sair do quintal. A Tina e a Lolota estão lá dentro a fazer a limpeza e não as deixes fazer maluquices. Sartina (voltou a falar em ronga), quando acabares isso põe a chaleira ao lume para o lanche das crianças e manda o Madunana comprar o pão. Não deixes os miúdos acabar um pacote de manteiga. Ginho (agora era em português) toma conta de tudo que eu volto já, vou ali à casa da comadre Lúcia conversar um bocado.

A Mamã ajeitou o vestido e olhou em volta para ver se estava tudo em ordem e depois foi-se embora.

O cão do Sr. Castro, o Lobo, espreitou o Totó lá da estrada. Logo que viu, o Totó avançou e puseram-se os dois a ladrar um para o outro. Todos os cães da vila tinham medo do Totó e mesmo os maiores fugiam quando ele se zangava. Apesar de pequeno, o Totó tinha um pêlo grande e branco e quando se aborrecia com qualquer coisa eriçava-o como os gatos, ficando com um aspecto terrífico. Isso devia ser a causa do temor dos outros. Normalmente afastava-se deles e preferia divertir-se com as galinhas. Mesmo às cadelas, só em certos momentos é que aturava. Para mim era um cão com «pedigree», ou por outra, «pedigree» só podia ser o que ele possuia. Tinha muito de mandão e a única pessoa de quem tinha medo era a Mamã, embora esta nunca lhe tivesse batido. Para o tirar de cima de uma cadeira era preciso que a chamássemos, porque mesmo ao Papá, rosnava com os dentes à mostra.

Os dois cães estavam frente a frente e o Lobo já tinha começado a recuar, cheio de medo. Nisto passou o cão do Sr. Reis, o Kisse, e o Totó pôs-se a ladrar também para ele. O Kisse fugiu logo, mas o Lobo foi atrás dele, abocanhando-lhe o traseiro, e só o deixou quando já gania, cheio de dores das mordidelas. Quando o Lobo voltou para junto do Totó os dois já eram amigos e puseram-se a brincar.

O Nandito veio sentar-se ao pé de mim e disse-me, sem que eu lhe perguntasse, que já estava cansado de jogar à bola.

— E porque é que vens para aqui?

— Tu não queres?

— Eu não disse isso.

— Então fico.

— Fica, se quiseres.

Levantei-me e ele levantou-se também.

— Onde é que vais? Vais à caça?

— Não.

— Então?

— Não me chateies. Não gosto de falar com garotos.

— Tu também és garoto! A Mamã ainda te bate...

— Se voltas a dizer isso vou-te à cara!...

— Está bem, não digo mais.

Fui para a capoeira e ele veio atrás de mim. Os tubos estavam quentes e tive de os tirar com a ajuda de uns panos. A poeira que se levantou era densa e sufocante.

— O que é que estás a procurar? Posso ajudar-te?

— Sai daqui!...

Afastou-se para um canto da capoeira e pôs-se a chorar. Quando tirei o último bloco de uma rima, vi a cobra. Era uma mamba de cor muito escura. Sentindo-se descoberta enroscou-se um pouco mais apertadamente e levantou a cabecita triangular. Os olhitos brilharam apreensivos e a língua negra e bífida palpitou ameaçadora. Recuei até sentir nas costas a rede do cercado e depois sentei-me no chão.

— Não chores, Nandito.

— Tu és mau, não queres brincar com a gente!

— Não chores mais. Eu depois brinco, contigo. Não chores.

Ficamos os dois quietos. A cabecita da cobra pousou lentamente sobre o anel mais alto e todo o volume deixou de estremecer. Mas os olhitos continuavam a vigiar-me atentamente.

— Nandito, diz-me qualquer coisa. Fala!...

— O que é que queres que eu diga?

— Diz o que te apetece dizer. Qualquer coisa. Fala.

— Não me apetece dizer nada.

O Nandito ainda esfregava os olhos e estava ressentido comigo.

— Já viste alguma cobra? Gostas de cobras? Tens medo delas? Responde!...

— Onde é que há cobras?

O Nandito levantou-se cheio de medo e olhou em volta.

— No mato. Senta-te e fala.

— Aqui não há cobras?

— Não. Fala! Fala-me de cobras...

O Nandito sentou-se muito perto de mim.

— Eu tenho muito medo das cobras. A Mamã diz que é perigoso andar no mato por causa delas. Quando a gente anda no capim pode pisar uma sem querer e pode ser mordido. Quando uma cobra nos morde a gente morre. A Sartina diz que para a gente não morrer depois de ser mordidos por uma cobra é preciso matá-la, queimá-la até ficar seca e comê-la. Ela diz que já comeu uma cobra e por isso, mesmo que seja mordida não há-de morrer.

— Já viste alguma cobra?

— Já! Foi em casa do Chico! O moleque matou-a na capoeira...

— Como era essa cobra?

— Era grande, encarnada e tinha uma boca como um sapo...

— Gostavas de ver uma cobra agora?

O Nandito levantou-se e encostou-se a mim, olhando em volta, muito receoso.

— Há alguma cobra nesta capoeira? Tenho medo! Vamos sair daqui!

— Se queres sair vai-te embora. Eu não te chamei...

— Tenho medo de sair sozinho!...

— Então senta-te até eu ter vontade de sair.

Ficamos os dois muito silenciosos por um bocado.

O Totó e o Lobo estavam a brincar do lado de fora da rede. Corriam de uma estaca para a outra, dando a volta ao cercado e recomeçando. Em cada estaca paravam e urinavam de pata levantada.

Depois entraram na capoeira e deitaram-se de barriga, para descansar. O Lobo viu a cobra imediatamente e começou a ladrar. O Totó ladrou também mas estava de costas para ela.

— Mano, costuma haver cobras em todas as capoeiras?

— Não.

— Aqui há alguma?

— Há.

— Então porque é que não saímos? Tenho medo.

— Se queres sair, sai...

O Lobo avançou para a cobra, ladrando cada vez mais aflitivamente. O Totó voltou a cabeça mas continuou sem ver nada de estranho.

O Lobo tremia todo nas pernas e escarvava o chão num desespero. De vez em quando olhava para mim sem compreender a razão porque eu não acudia ao seu alarme.

— Porque é que ele ladra assim?...

— É porque viu a cobra.

Encurralada ao fundo do vão da rima de blocos, a mamba alargou o seu corpo de maneira a apoiar-se mais solidamente. A cabeça assente sobre o pescoço esguio, manteve-se fixa no ar, alheia ao movimento do resto do corpo. Os olhitos luziam como brasas.

Os apelos do Lobo eram agora horrivelmente lancinantes, e em volta do pescoço o pêlo tinha-se-lhe eriçado.

Encostados à rede, a Tina, a Lolota e o Madunana espreitavam, curiosos.

— Porque é que não vais matar a cobra? — A voz do Nandito estava chorosa e ele tinha-se-me agarrado ao pescoço...

— Não me apetece.

A distância entre a cobra e o cão era de metro e meio. Não obstante, ela enterrou a cauda no ângulo que um bloco fazia com o chão e levantou os seus anéis uns dos outros preparando-se para dar o bote. A cabecita triangular recuou imperceptivelmente. Parecendo aperceber-se da proximidade do seu fim o Lobo começou a ladrar freneticamente, sem contudo tentar afastar-se da cobra. Um pouco atrás, o Totó ladrava também, mas já de pé.

Durante fracções de segundo o pescoço da cobra encurvou-se enquanto a cabeça descaía para trás, mas logo projectou-se para a frente num movimento impossível de seguir, e, embora o cão se tivesse erguido nas patas traseiras como um bode, atingiu-o em pleno peito. Livre de apoio, a cauda da cobra chicoteou no ar, acompanhando o ondear do último anel.

O Lobo caiu de costas esperneando convulsivamente e com um ganido abafado. A mamba abandonou-o imediatamente e com outro salto desapareceu por entre os tubos.

— A nhoka! — gritou a Sartina.

O Nandito atirou-me para um lado e fugiu da capoeira com um berro, antes de desmaiar nos braços do Madunana. O Lobo, assim que se viu livre da cobra fugiu e desapareceu em meia dúzia de pulos, mas ouvimo-lo ganir em direcção à casa do Sr. Castro.

Os miúdos começaram todos a chorar sem ter compreendido o que se tinha passado, e a Sartina levou o Nandito para dentro de casa, transportando-o nos braços. Só

quando os miúdos desapareceram atrás da Sartina é que
chamei o Madunana para matarmos a cobra.

O Madunana manteve-se, com uma capulana erguida ao
alto dos braços enquanto eu ia removendo os tubos com um
pau de vassoura. Logo que a cobra apareceu o Madunana
atirou-lhe a capulana e desatei à paulada sobre o monte.

Quando o Papá regressou do serviço o Nandito já tinha
voltado a si e tinha-se recomposto do abalo chorando copio-
samente. A Mamã, que ainda não tinha ido ver a cobra, foi
com o Papá à capoeira. Quando também fui para lá, vi o Papá
a virar a cobra de barriga para o ar com um pau.

— Eu nem quero pensar no que uma cobra destas podia
fazer a um filho meu!...

O Papá riu-se:

— Ou a qualquer outra pessoa. Foi melhor assim. O que
me custa é pensar que estes quase dois metros foram
conseguidos à custa das minhas galinhas...

E estavam nisto quando o carro do Sr. Castro parou à
frente da casa. O Papá foi para lá e a Mamã foi falar com a
Sartina. Eu fui atrás do Papá.

— Boa tarde, Sr. Castro...

— Ó Tchembene, o meu cão perdigueiro apareceu-me
morto e com o peito inchado. Os meus pretos dizem que veio
daqui da tua casa a ganir, antes de morrer. Eu não estou
para muitas conversas e só te digo isto: ou pagas uma
indemnização ou faço queixa à Administração! Resolve! Era
o melhor perdigueiro que jamais tive...

— Eu acabo mesmo de chegar do serviço e...

— Eu não quero saber disso para nada! Pouca conversa!
Pagas ou quê?

— Mas ó Sr. Castro...

— Sr. Castro coisa nenhuma! São setecentos paus. E é
melhor as coisas ficarem por aqui!...
— Como queira, Sr. Castro, mas eu não tenho dinheiro
agora...
— Isso depois veremos! Espero até ao fim do mês e se não
pagas rebento contigo!...
— Sr. Castro, nós conhecemo-nos há tanto tempo e
nunca...
— Isso comigo não pega! Eu já sei o que vocês querem! Só
à porrada...
O Sr. Castro meteu-se no carro e arrancou. O Papá ficou
um bocado a ver o carro a afastar-se.
— Filho da mãe!
Aproximei-me dele e puxei-lhe a manga do casaco.
— Papá, porque é que não disseste isso à frente dele?
Não me respondeu.
points out cowardice

Mal acabámos de jantar o Papá disse:
— Mulher, manda a Sartina tirar a mesa depressa. Meus
filhos, vamos rezar. Hoje não vamos ler a Bíblia. Vamos
rezar, simplesmente.
Quando a Sartina acabou de tirar os pratos e arrumou a
toalha o Papá começou:
— Tatana, ha ku dumba Hosi ya tilo ni misaba...
Quando acabou estava de olhos vermelhos.
— Amen!
— Amen!...
A Mamã levantou-se logo e perguntou como se falasse de
uma coisa sem importância nenhuma:
— Mas afinal o que é que queria o Sr. Castro?
— Não tem nada de especial... Não interessa!...
— Está bem, contas-me lá no quarto. Vou arrumar as

camas dos miúdos. Tu Ginho, amanhã acordas cedo para tomares o purgante!...

Quando se foram todos embora perguntei ao Papá:

— Porque é que o Papá reza quando está muito zangado?

— Porque Ele é o melhor conselheiro.

— O que é que Ele lhe aconselha?

— Ele não me aconselha. Dá-me forças para continuar...

— O Papá acredita muito n'Ele?

O Papá olhou-me como se me visse pela primeira vez e depois explicou:

— Meu filho, tem de haver uma esperança! Quando um dia acaba e sabemos que amanhã será tudo igualzinho, temos de ir arranjar forças para continuar a sorrir e continuar a dizer «isso não tem importância»... Ainda hoje viste o Sr. Castro a enxovalhar-me! Isso foi só um bocadinho da ração de hoje... Não, meu filho, mesmo que isto tudo só O negue, Ele tem de existir!...

O Papá parou de repente e sorriu num esforço. Depois acrescentou:

— Mesmo um pobre tem de ter qualquer coisa... Mesmo que seja só uma esperança!... Mesmo que ela seja falsa!...

— Papá, eu podia ter evitado que o cão do Sr. Castro fosse mordido pela cobra...

O Papá olhou-me com uns olhos cheios de carinho e disse surdamente:

— Não tem importância... Ainda bem que foi mordido!...

A Mamã apareceu à porta.

— Deixas o miúdo ir dormir ou não?...

Olhei para o Papá, lembrámo-nos do Sr. Castro e rimo-nos com muita vontade. A Mamã não compreendeu.

— Vocês estão doidos?

— Sim, já era tempo de sermos doidos — foi o Papá que respondeu sorrindo.

O Papá já ia a caminho do quarto mas devo ter falado demasiadamente alto. De qualquer maneira foi melhor que ele tivesse ouvido:

— Papá, eu às vezes... Não sei bem, mas havia já algum tempo que estava sempre a pensar que não gostava de vocês todos. Desculpa...

A Mamã não percebia o que nós dizíamos e por isso zangou-se:

— Parem com isso senão...

— Sabes, meu filho — o Papá falava pausadamente e gesticulava muito antes de cada palavra — sofre-se muito... Muito, muito, muito!... A gente cresce com muita coisa cá dentro mas depois é difícil gritar, tu sabes...

— Papá, e quando o Sr. Castro vier?...

A Mamã ia barafustar mas o Papá segurou-lhe os ombros firmemente:

— Não é nada, mulher, mas o nosso filho acha que ninguém monta em cavalos doidos, e que nos famintos e mansos é onde lhes dá mais jeito, percebeste? Quando um cavalo endoidece dá-se-lhe um tiro e tudo acaba, mas aos cavalos mansos mata-se todos os dias. Todos os dias, ouviste? Todos, todos, todos enquanto eles se aguentarem de pé!...

A Mamã olhava-o de olhos esbugalhados.

— Sabes, mulher, tenho medo de pensar que isso seja verdade, mas também não tenho coragem para lhe dizer que é mentira. Ele vê... Ainda hoje viu...

O Papá e a Mamã estavam já no quarto e por isso não pude ouvir mais, mas mesmo de lá, a Mamã berrou:

— Amanhã tomas purgante que é para saberes! Eu não sou o teu pai que se deixa levar...

O luar inundava a minha cama de amarelo e era agradável sentir a pele a arrepiar-se com a sua carícia fria.

Incompreensivelmente veio-me aos sentidos a sensação morna do corpo da Sartina. Por momentos consegui reter a sua presença quase física, e desejei adormecer com ela para não sonhar com cobras e cães.

AS MÃOS DOS PRETOS

Já não sei a que propósito é que isso vinha, mas o Senhor Professor disse um dia que as palmas das mãos dos pretos são mais claras do que o resto do corpo porque ainda há poucos séculos os avós deles andavam com elas apoiadas ao chão, como os bichos do mato, sem as exporem ao sol, que lhes ia escurecendo o resto do corpo. Lembrei-me disso quando o Senhor Padre, depois de dizer na catequese que nós não prestávamos mesmo para nada e que até os pretos eram melhores do que nós, voltou a falar nisso de as mãos deles serem mais claras, dizendo que isso era assim porque eles, às escondidas, andavam sempre de mãos postas, a rezar.

Eu achei um piadão tal a essa coisa de as mãos dos pretos serem mais claras que agora é ver-me a não largar seja quem for enquanto não me disser porque é que eles têm as palmas das mãos assim mais claras. A Dona Dores, por exemplo, disse-me que Deus fez-lhes as mãos assim mais claras para não sujarem a comida que fazem para os seus patrões ou qualquer outra coisa que lhes mandem fazer e que não deva ficar senão limpa.

O Senhor Antunes da Coca-Cola, que só aparece na vila de vez em quando, quando as coca-colas das cantinas já tenham sido todas vendidas, disse que tudo o que me tinham contado era aldrabice. Claro que não sei se realmente era, mas ele garantiu-me que era. Depois de eu lhe dizer que sim, que era aldrabice, ele contou então o que sabia desta coisa das mãos dos pretos. Assim:

«Antigamente, há muitos anos, Deus, Nosso Senhor Jesus Cristo, Virgem Maria, São Pedro, muitos outros santos, todos os anjos que nessa altura estavam no céu e algumas pessoas que tinham morrido e ido para o céu, fizeram uma reunião e resolveram fazer pretos. Sabes como? Pegaram em barro, enfiaram-no em moldes usados e para cozer o barro das criaturas levaram-nas para os fornos celestes; como tinham pressa e não houvesse lugar nenhum, ao pé do brasido, penduraram-nas nas chaminés. Fumo, fumo, fumo e aí os tens escurinhos como carvões. E tu agora queres saber porque é que as mãos deles ficaram brancas? Pois então se eles tiveram de se agarrar enquanto o barro deles cozia?!».

Depois de contar isto o Senhor Antunes e os outros Senhores que estavam à minha volta desataram a rir, todos satisfeitos.

Nesse mesmo dia, o Senhor Frias chamou-me, depois de o Senhor Antunes se ter ido embora, e disse-me que tudo o que eu tinha estado para ali a ouvir de boca aberta era uma grandessíssima pêta. Coisa certa e certinha sobre isso das mãos dos pretos era o que ele sabia: que Deus acabava de fazer os homens e mandava-os tomar banho num lago do céu. Depois do banho as pessoas estavam branquinhas. Os pretos, como foram feitos de madrugada e a essa hora a água do lago estivesse muito fria, só tinham molhado as palmas das mãos e as plantas dos pés, antes de se vestirem e virem para o mundo.

Mas eu li num livro que por acaso falava nisso, que os

pretos têm as mãos assim mais claras por viverem encurva-
dos, sempre a apanhar o algodão branco de Virgínia e de
mais não sei aonde. Já se vê que a Dona Estefânia não
concordou quando eu lhe disse isso. Para ela é só por as mãos
deles desbotarem à força de tão lavadas.

Bem, eu não sei o que vá pensar disso tudo, mas a verdade
é que ainda que calosas e gretadas, as mãos dum preto são
sempre mais claras que todo o resto dele. Essa é que é essa!
A minha mãe é a única que deve ter razão sobre essa
questão de as mãos de um preto serem mais claras do que o
resto do corpo. No dia em que falámos nisso, eu e ela, estava-
-lhe eu ainda a contar o que já sabia dessa questão e ela já
estava farta de se rir. O que achei esquisito foi que ela não
me dissesse logo o que pensava disso tudo, quando eu quis
saber, e só tivesse respondido depois de se fartar de ver que
eu não me cansava de insistir sobre a coisa, e mesmo assim
a chorar, agarrada à barriga como quem não pode mais de
tanto rir. O que ela disse foi mais ou menos isto:

«Deus fez os pretos porque tinha de os haver. Tinha de os
haver, meu filho, Ele pensou que realmente tinha de os
haver... Depois arrependeu-se de os ter feito porque os
outros homens se riam deles e levavam-nos para as casas
deles para os pôr a servir como escravos ou pouco mais. Mas
como Ele já os não pudesse fazer ficar todos brancos porque
os que já se tinham habituado a vê-los pretos reclamariam,
fez com que as palmas das mãos deles ficassem exactamente
como as palmas das mãos dos outros homens. E sabes porque
é que foi? Claro que não sabes e não admira porque muitos
e muitos não sabem. Pois olha: foi para mostrar que o que os
homens fazem, é apenas obra de homens... Que o que os
homens fazem, é feito por mãos iguais, mãos de pessoas que
se tiverem juízo sabem que antes de serem qualquer outra
coisa são homens. Deve ter sido a pensar assim que Ele fez

com que as mãos dos pretos fossem iguais às mãos dos homens que dão graças a Deus por não serem pretos».

Depois de dizer isso tudo, a minha mãe beijou-me as mãos.

Quando fugi para o quintal, para jogar à bola, ia a pensar que nunca tinha visto uma pessoa a chorar tanto sem que ninguém lhe tivesse batido.

NHINGUITIMO

As Rolas

Pouco antes do início das colheitas, as rolas reunem-se nas matas que dividem as machambas do vale. Durante duas ou três semanas, em bandos numerosos, sobrevoam os campos em largos círculos. Nesses voos as rolas demarcam do ar os caminhos que os tractores e os lavradores utilizam mais frequentemente e, de posse desse pormenor, preparam a estratégia para o ataque às espigas acabadas de torrar ao sol poderoso de Setembro.

De vez em quando duas, três rolas, seis no máximo, destacam-se da trajectória do resto do bando e pousam nas machambas para provar os grãos.

Vários dias decorrem neste período de reconhecimento no futuro campo de operações, mas, em compensação, na manhã em que soa a ordem de atacar, o bando é dirigido pelos guias para as machambas onde o bago de milho é mais pequeno e mais redondo, onde o pé da planta não teve tempo de crescer para além de um metro do chão.

Por uma questão de segurança, o bando procura cobrir áreas não muito sulcadas pelos caminhos dos homens e dos tractores. Mas, mesmo depois de tomada essa medida de precaução, uma dezena de rolas, geralmente das mais novas, organizam um cordão de vigilância que bordeja toda a superfície de actuação do bando.

Com o seu colarinho negro, recortado no tom palha--arroxeado das penas, a rola é uma das aves mais antipáticas da criação. Pelo menos assim parece estar estabelecido entre as populações das pequenas vilas que, subsidiárias da actividade agrícola, disputam às machambas e às matas de micaias os terrenos do vale do Incomáti.

Essencialmente prática, a rola sacrifica no seu voo a graça de uma pirueta e a amplitude de uma curva à necessidade de chegar mais depressa. Ninguém se lembra de ter visto uma rola a deixar-se embriagar pela carícia do vento, como frequentemente acontece à andorinha; ninguém pode jurar que, como o abutre, a rola se entregue no seu voo ao prazer sensual de deslizar contra o azul pastoso do espaço, com as asas todas desfraldadas; por certo também ninguém ouviu dizer que uma rola tenha passado uma manhã inteira a catar piolhos no ventre, a estufar o peito e a alisar a penugem, como faz a preguiçosa sécua.

Com os olhitos negros sempre vigilantes, a rola viaja na esteira dos grãos e volta pontualmente todos o anos, semanas antes do início das colheitas. Reproduz-se enquanto vai e volta e engorda calmamente com o tempo. Engorda e enegrece.

O seu cantar, que não tem tempo de ser musical, é imediatamente triste: é uma espécie de refilanço rouco e agreste. Às vezes, sendo monótono, é descritivo e nostálgico. Nunca porém poético ou divagante: é sempre horrivelmente directo.

Cantando, a rola não lamenta, como fazem muitos outros pássaros, acusa. Entristece o vale. Torna despropositado o verde dos campos e insípido o azul intenso do céu.

Quando o visgo adocicado do bago de milho seca e a espiga endurece, o vento levanta do chão das machambas e do seio das matas a poeira adormecida desde as últimas chuvas. O céu torna-se pardo e descai por sobre as machambas. Animado, o vento sobe e durante dias redemoinha espirais de folhas secas, roubadas ao chão das matas, assustando as rolas, que fogem dos campos.

Depois as machambas cobrem-se de amarelo e, maduros, os grãos se desprendem das espigas. O vento da poeira já está farto de se esfiapar pelos espinhos vibrantes das micaias e já entonteceu de tanto redemoinhar. As rolas voltam ao ataque, refeitas do susto e habituadas ao zunir contínuo e inofensivo do vento. Então chega o nhinguitimo.

Nuvens apressadas escapam-se dos montes Libombos, e descendo a encosta, atravessam o vale. O vento da poeira cessa e recolhe à profundidade das matas do outro lado do rio. O ar pára; os bichos buscam as tocas e as micaias nuas retalham firmemente o céu cinzento.

O nhinguitimo irrompe pelo vale e varre instantaneamente a poeira que enche o ar. Célere, vasculha as matas, derruba os pés de milho e dobra as micaias, que gemem de aflição.

As rolas procuram refúgio no mais recôndito da folhagem espessa das figueiras que seguram o rio no seu leito. Enquanto as mais novas se apertam umas às outras, tremendo de medo, as mais idosas comentam o tempo com o seu arrulhar soturno.

Duas ou três rolas, seis no máximo, perfuram nervosamente o espaço, por sobre as machambas, avisando dos
perigos da tempestade e conduzindo a retirada.

**Como seria possível esquecer aquela noite,
caramba?!**

Em noites extremamente húmidas como aquela, por um
acordo tacitamente firmado entre nós e os nossos pais,
permitíamo-nos retardar anormalmente a hora de recolher
em mais duas dúzias de partidas de sete-e-meio. De resto, os
hábitos quase sempre rígidos da vila escangalham-se com o
excesso de humidade que todos os anos se fazia sentir pouco
antes das grandes chuvadas: o administrador, o médico, o
chefe dos correios, o veterinário e o chefe da estação, iam
beber para o balcão da cantina do Rodrigues, sítio geralmente tido como impróprio para a gente grada da vila; os
trabalhadores das machambas do vale, abandonavam os
acampamentos e iam abancar no salão da frente da cantina
do Rodrigues, sítio onde só eram admitidas pessoas «da
nossa melhor sociedade», no dizer do próprio Rodrigues; as
prostitutas da vila, normalmente tímidas e obscuras, circu-
lavam alegremente por entre as mesas, deixando que os
rapazes e os trabalhadores das machambas lhes beliscas-
sem amigavelmente as coxas e que os membros da tal
melhor sociedade da vila lhes acariciassem subreptici a-
mente os traseiros.
    Por detrás do balcão-frigorífico recentemente comprado,
o Rodrigues, todo boa disposição, animava as investidas
medrosas dos senhores da vila aos rabos das prostitutas e

dava palmadinhas nas costas dos trabalhadores das machambas, fazendo-os tomar mais uma pinguinha. O tipo ficava terrivelmente satisfeito com o facto de a tasca dele se transformar de repente em centro de reunião da vila. Às vezes desaparecia pela porta dos fundos, ia acordar a mulher e fazia-a espreitar a sala para que ela visse com os próprios olhos a excelente ideia que fora a compra do balcão- -frigorífico, já que toda a vila se matava pelas suas bebidas sempre geladas.

Por entre aquela confusão toda, eu e os outros rapazes inteirávamo-nos das ideias dos senhores importantes lá da vila, confraternizávamos abertamente com as prostitutas, sem que isso merecesse qualquer reprovação e oferecíamos cigarros aos trabalhadores; matávamos a sede com coca- -colas e o tempo com aldrabices.

De uma maneira geral, as conversas versavam sobre assuntos relacionados com a agricultura do vale: os senhores «da sociedade» discutiam o preço que o milho poderia atingir; os trabalhadores acariciavam velhos sonhos possíveis de realizar com a abundância que se previa para aquele ano agrícola; nós anunciávamos solenemente números correspondentes ao dobro e ao triplo da quantidade de sacos de milho que os nossos pais esperavam colher. Não se exceptuando, as prostitutas perguntavam umas às outras o que deviam fazer com o dinheiro ganho durante a fartura das colheitas.

Eu não era amigo do Vírgula Oito, trabalhador da machamba do Rodrigues da loja. Aparentando ser muito novo, o tipo era magro, desengonçado e tinha uns olhos muito expressivos. Embora trabalhasse na machamba do Rodrigues, tinha a sua própria machamba do outro lado do rio, no Goana, um sítio onde o administrador ainda não tinha ordenado o levantamento da reserva indígena.

Naquela noite quente, terrivelmente húmida, em que parecíamos mergulhados num líquido morno, pegajoso, estava eu a olhar para a escuridão da rua, sinceramente chateado com tudo o que ouvia dizer à minha volta quando o Vírgula Oito apareceu à porta do bar. Vestia uma camisola interior muito branca e umas calças de caqui, cheias de bolsos e de remendos coloridos, como as dos magaíças. Parou um pedaço, pestanejou para habituar a vista à luz intensa das lâmpadas da loja e dirigiu-se para uma mesa próxima onde estavam Maguiguana e o Matchumbutana, também trabalhadores da machamba do Rodrigues da loja. Lembro--me ainda do seu andar desajeitado e bamboleante, os seus ombros secos e estreitos e dos seus olhos brilhantes.

— Boa noite... — disse o tipo para os outros. Falava em swazi.

— Boa noite, Massinga — responderam os outros em changane.

Caramba, ainda hoje parece-me sentir no ombro o rude impacto do encontrão que o tipo me deu quando, com o seu andar desengonçado passou pela mesa da malta!

Como não podia deixar de ser, a conversa que se desenvolveu na mesa às minhas costas era sobre as colheitas que se avizinhavam. Para fazer inveja aos outros, o Vírgula Oito desatou a falar do seu milho, do seu feijão, do seu amendoim, das suas couves, da sua batata... Também se fartou de falar da N'teasse, uma rapariga lá do Goano, filha do Sigolohla.

A voz do Vírgula Oito lembrou-me o arrulhar das rolas que, para exercitar a pontaria, nós «abatíamos» todas as tardes nas machambas próximas à curva do rio. Chiça?! Mas que calor que fazia naquele dia, caramba!

Suava horrorosamente e sentia um torpor, uma espécie de sonolência febril.

Perdi 4 maços de cigarros ao sete-e-meio. Depois, definitivamente enjoado, fui-me embora. A Marta mostrou desejos de vir comigo. Nem me opus nem a animei. Ela veio. Muito depois de abandonar a Marta, já em casa, enquanto esperava pelo golpe seco e fulminante do sono, o tom bíblico da última frase que ouvira do Vírgula Oito veio-me à memória:

— Quando chegar o «nhinguitimo» tudo vai mudar — dissera ele — As machambas grandes que eles fazem vão ficar destruídas pela fúria do vento. As nossas machambas continuarão a amarelecer calmamente porque as grandes árvores do outro lado do rio protegem-nas dos ventos. O preço do milho vai subir e nós vamos ter algum dinheiro. Deus tem de querer que seja assim...

Pôça, aquilo era um calor de matar! Humidade como sei lá o quê e o céu todo cheio de estrelas. Chateava pensar que as grandes chuvadas ainda tardariam. Estive quase para ir tomar outro banho de chuveiro, mas entretanto adormeci.

O Rodrigues da loja fartou-se de esfregar o tampo do balcão

Vírgula Oito bateu com o copo vazio no tampo da mesa e limpou os beiços às costas da mão. Com um rápido olhar, certificou-se do interesse dos seus companheiros no que acabava de revelar e pigarreou para aclarar a voz, antes de continuar.

— Se eu chegar fogo à mata e não apagar as chamas
durante três dias seguidos, fico com uma machamba duas
vezes maior — a sua voz tinha um tom de confidência — O
dobro — murmurou.

— Mas nessa altura ficas com tanto dinheiro como o
Lodrica e os outros brancos... — admirou-se o Maguiguana
— Até podes andar de carro e comprar tractores...

— Nessa altura pago o imposto, compro sapatos, um
fato, um chapéu, uns óculos, uma bengala e um sobretudo...
e caso-me com a N'teasse... — esclareceu Vírgula Oito — Se
o milho chegar aos duzentos escudos o saco, para o ano
palavra que aumento a machamba. Já falei com o régulo e
ele disse que sim... Arranjo uns homens para me ajudarem
porque a minha mãe está velha e a minha irmã casa-se um
dia destes na igreja do Padre. Arranjo uns homens para
trabalhar só para mim, como moleques, e eu mesmo é que
lhes pago quando chegar o fim do mês, porque nessa altura
sou eu o patrão...

— Mas... — suspirou Matchumbutana.

Rápido, Vírgula Oito percebeu um esboço de dúvida.

— Não acreditas?... — atalhou.

— Bem, eu acredito...

Vírgula Oito virou-se interrogativamente para Maguiguana.

— Bem, eu também acredito — apressou-se este a
esclarecer.

Repetindo a rodada de whisky, Rodrigues insinuou:

— Por que é que o senhor administrador não vai ver a
terra com os seus próprios olhos?

— Porque tenho mais que fazer, homem!... — respondeu
o administrador, desapertando mais um botão da camisa.

Enquanto deitava uma medida de água gelada nos copos, Rodrigues murmurou para si: merda... Logo depois voltou ao ataque:

— Senhor administrador, as infraestruturas desta província...

— ...E as médias e as superestruturas... — acrescentou o administrador, imitando a voz do Rodrigues. Todo o grupo se riu perdidamente. Satisfeito com o àparte que fizera, o administrador repisou-o quando as gargalhadas começavam a diminuir de intensidade:

— ...E as médias e as superestruturas...

O grupo voltou a dobrar-se sobre o ventre, espremendo outra explosão de gargalhadas.

Envergonhado, o Rodrigues afastou-se, polindo afanosamente o tampo do balcão frigorífico.

— ...e as médias e as superestruturas... — voltou a declamar o administrador.

— Merda... — murmurou o Rodrigues, quando, tendo atingido a ponta do tampo teve de descer o pano por uma das paredes laterais do frigorífico para poder continuar a esfregar. «Merda...» — repetiu quando chegou ao chão. Arregaçando o beiço, ergueu-se e aproximou-se do grupo.

— ...e as médias e as superestruturas...

Obediente, o grupo soltou outra gargalhada. O Rodrigues, dentro do ritmo, muito desportivamente contribuiu também com a sua gargalhadazinha.

— Massinga... Ouve, eu acredito nisso tudo que tu dizes que vais fazer... — afirmou Matchumbutana. — De verdade que acredito, mas...

— Mas o quê? — a voz de Vírgula Oito tornou-se impaciente. Mais rastejante, Maguiguana justificou-se:

— Sabes... Eu não sei se eles não ficarão zangados por tu teres tanto dinheiro... Eles são capazes de não gostar disso... Eles não vão permitir que tenhas tanto dinheiro... — Eles são capazes de não gostar, Massinga... — acudiu Maguiguana. — Eles são capazes de não gostar... É que tu és capaz de ter mais dinheiro do que o enfermeiro e o intérprete, os assimilados...

— Mas porque é que vocês pensam que eles se hão-de zangar? — Vírgula Oito adoptou um tom de voz extremamente paciente — Eu não mato nem roubo; como o que ganho no trabalho; gasto o dinheiro com a minha família; pago o imposto... Pago aos meus trabalhadores... Como é que eles se podem zangar?

— Bem... assim não se zangam... Assim não se podem zangar... — O Maguiguana tentava desculpar-se.

— Não se zangam... Acho que não se zangam... — O Matchumbutana também retirou a sua dúvida.

— Amanhã vou lá para casa — Vírgula Oito reiniciou o fio da narração, desconhecendo os restos de incredulidade que os outros ainda mostravam. — O Lodrica deixa-me ir porque eu disse-lhe que precisava de ir para casa para consertar as palhotas. Chego lá e dou uma ajuda à minha mãe e à minha irmã na colheita. Se colhermos depressa podemos vender o milho antes de o preço começar a baixar, quando os brancos também fizerem as suas colheitas... E vejo a N'teasse...

— Senhor administrador, se eu insisto nisto é só porque me custa ver uma terra tão rica a ser desperdiçada pelos pretos — O Rodrigues tinha conseguido deter a palavra depois das três rodas de whisky que durou a festejar o àparte do administrador — e sempre lhe digo que esta vila podia ter melhor sorte se se desse um pouco mais de atenção às pretensões das suas gentes... (o Rodrigues dava a sua mordidela vingativa...) Senhor administrador, eu sempre confiei na clarividência com que Vossa Excelência dirige superiormente os interesses das populações neste momento conturbado... — o Rodrigues rectificava a canelada — mas isto lá do baixio do Goana é tão importante...

— Vírgula Oito! — chamou o Rodrigues — Vírgula Oito! Anda cá!... O senhor administrador quer perguntar-te umas coisas lá do teu sítio...

Cruzando os braços sobre o peito, numa atitude de profundo respeito, Vírgula Oito aproximou-se do grupo. Erguendo as mãos até à altura da cabeça, numa espécie de continência, saudou o administrador:

— Bayeti n'kossi!...

Depois voltou a cruzar as mãos sobre o peito e esperou.

— O Senhor administrador pode interrogar este indígena e inteirar-se da veracidade das minhas afirmações... — o Rodrigues esfregou o pano ao tampo do balcão-frigorífico, em pequenos e rápidos movimentos circulares — ...e inteirar-se da veracidade das minhas afirmações... — repetiu a frase para si próprio, satisfeito com a ressonância solene da sua voz ao proferi-la.

— Como é que tu te chamas, ó rapaz? — perguntou o administrador.

— Eu chama Alexandre Vírgula Ôto Massinga, sinhoro Mixadoro!

O Rodrigues voltou da ponta do balcão numa corridinha e debruçou-se para a conversa, todo interessado:

— Interrogue-o, interrogue-o senhor administrador!...

— Onde é que tu trabalhas? — interrompeu brutalmente o administrador — Onde é que tu trabalhas, rapaz?

Vírgula Oito atrapalhou-se com a ira do administrador. Quando se dominou, respondeu:

— Eu trabalha machamba patrão Lodrica. Trabalha muito tempo mesmo...

— Alexandre Vírgula Oito Massinga... Raio de nome... De onde é que tu és?

— Eu são do induna Goana, sinhoro Mixadoro...

O barulho que enchia a sala cessara instantaneamente. Toda a gente se pôs à escuta. Maguiguana segredou a Matchumbutana, encostando-lhe os lábios ao ouvido:

— Eu não disse que eles não haviam de gostar?

Movendo a cabeça num largo assentimento, Matchumbutana devolveu a pergunta intacta:

— Eu não disse que eles não haviam de gostar?

— Eu não disse? — insistiu Maguiguana.

— Eu não disse? — repetiu Matchumbutana.

— Tu tens machamba lá no Goana?

— Eu tem machamba lá mesmo na Goana sinhoro Mixadoro...

— Tem muito machamba lá?

— Tem muito machamba lá sinhoro Mixadoro...

— Machamba lá no Goana é produtiva? Raios... Produtiva não!... É bom?... Machamba lá no Goana é bom?... Jesus, isto só com o intérprete, lá na administração...

Alarmado, o Rodrigues ofereceu-se:

— Eu posso servir de intérprete, senhor administrador...

— Não!...

O pano arrancou do tampo do balcão frigorífico um chiar aflitivo. «Merda...» — ganiu o Rodrigues.

— Ouve cá, tu tiras muito milho lá na tua machamba?
— Cada vez tira, cada vez não tira, sinhoro Mixadoro...
— O que é que estás para aí a dizer, homem?
— Eu diz eu tira, sinhoro Comandante...
O administrador conteve o riso que lhe provocara o novo tratamento.
— A terra é boa?
Vírgula Oito percebera a rápida sombra que perpassou pelo olhar do administrador quando o tratara por comandante:
— Terra é bom, sinhoro Mixadoro...
— A terra é boa? — berrou novamente o administrador, irritado com a perspicácia do trabalhador.
Vírgula Oito demorou a resposta, indeciso:
— Terra é bom, sinhoro Comandante... — Todo o corpo de Vírgula Oito oscilou, sublinhando a afirmação.
Perante o silêncio do interlocutor, Vírgula Oito optou:
— Terra é bom... — e aguardou o efeito da nova fórmula, apertando as mãos ao peito.
Depois de olhar para Vírgula Oito de cenho franzido, o administrador explodiu numa gargalhada. Rápido, o Rodrigues introduziu o acompanhamento à terceira quebra do riso do administrador. Mais moroso, o grupo que rodeava o administrador começou o coro já com bastante atraso.
Algumas das raparigas desataram a rir sem que tivessem percebido o que se passava.
Menos tenso, Vírgula Oito disfarçou um sorriso, baixando a cabeça.
— Está bem, rapaz, vai-te embora... Depois falamos, meu vivaço...
Novamente, Vírgula Oito ergueu os braços numa saudação.

— Nós não dissemos?... Nós dissemos que eles não haviam de gostar, Massinga... — o Maguiguana estava todo excitado — Dissemos ou não dissemos?...

Vírgula Oito fitou longamente as palmas das mãos antes de responder:

— Nós dissemos... — Matchumbutana parecia satisfeito com a atrapalhação de Vírgula Oito.

— Vocês sabem... Eu não sei falar como o intérprete ou como o enfermeiro, eu não sei falar bem a língua deles, mas vi que o Mixadoro não gosta de ver que as pessoas sabem o que ele pensa... Ele ficou zangado porque... Bem, eu vi que ele ficou zangado...

Vírgula Oito não tentou disfarçar a sua perturbação.

A terra do Goana era boa que se fartava

Embora na última estação as chuvas tivessem sido abundantes, o lodo do vale já secara havia alguns meses. Causticada por um sol intenso, a terra endurecida fendera em sulcos sinuosos e profundos. Livres da sujeição das raízes do capim, àquela altura do ano já duras e quebradiças, as terras da encosta soltavam-se e rolavam ao mínimo solavanco do vento, exalando uma poeira densa que caía sobre o vale, asfixiando a folhagem das árvores e turvando as águas vagarosas do rio.

A todo o comprimento do vale, o lençol de machambas ondulava rigidamente, percorrido pelas rajadas breves de um vento volúvel.

Maduras, as espigas pendiam para o chão, gordas e inteiriçadas.

Do outro lado do rio, a colheita já tinha sido iniciada. As pequenas machambas mergulhadas na espessura da floresta enchiam-se de gente que afanosamente partia as espigas de milho das hastes. Era um matraquear entusiasmado, uma corrida contra a baixa de preço que surgiria quando os armazéns da vila se enchessem com o milho dos grandes agricultores.

Em volta das povoações os celeiros entumesciam rapidamente durante as manhãs para, durante a tarde, vomitarem as espigas para a debulha. Durante a noite, comboios de pequenas jangadas ajoujadas de sacos atravessavam o rio.

Encravadas entre grandes propriedades, tituladas e demarcadas com cercados de arame farpado, as reservas indígenas cresciam em profundidade, dando para o rio uma frente estreitíssima. Contra a regra, a reserva da região do Goana, dava ao rio uma das faces do seu comprimento. Todas a suas pequenas machambas tinham por isso acesso às águas do Incomáti.

Situada a 12 quilómetros da vila, na outra margem, era a mais próspera de toda a circunscrição. Compreendendo terrenos baixos, alagadiços, era manchada por uma série de lagos que se mantinham mesmo durante a estação da cacimba.

Nos terrenos mais secos do Goana apareciam belos milheirais regados por valas abertas pelos agricultores. Nas zonas pantanosas verdejava o arroz, o tabaco e, em pequenas áreas recuperadas das águas pelos aluviões, cavava-se batata.

Um extenso véu de vapor cobria as terras do induna Goana. De malha finíssima a nuvem rodeava as árvores, as casas e os animais num halo azulado, sem contudo depositar nas superfícies indícios de humidade. Por sobre as copas das árvores a neblina era perpassada pelos primeiros raios de sol, adquirindo um tom dourado, antes de se desfazer no calor. Saudando o dia, os sons do mato, ainda vagos bocejos roucos e, por vezes estridentes, ziguezagueavam preguiçosos, saltitando de folha em folha e ecoando surdamente até se perderem na profundidade do véu de vapor.

Um forte cheiro a barro subia da terra, misturava-se aos vapores acres do pântano e às fragrâncias da floresta; depois agarrava-se às gotículas do véu azulado e desfazia-se lá em cima, no ar já intensamente dourado pelo sol nascente.

Com as narinas frementes Vírgula Oito sorveu longos haustos do vapor fresco da manhã, antes de enveredar pelo capim estreito que rastejava a seus pés. A cada passo sentia a carícia leve da franja de capim que pendia para a pequena concavidade do caminho, uma cócega agradável nos tornozelos e nos calcanhares.

Vírgula Oito atravessou a machamba, pondo em debandada uma nuvem de insectos que, pendurados nas plantas, esperavam a chegada do sol.

Descuidado, deixou que os espinhos de uma pequena micaia que se disfarçava no capim lhe dilacerassem o braço. O sangue brotou imediatamente do rasgão, mas Vírgula Oito não se preocupou.

O trabalhador deambulou pelos regos da machamba, e, por fim, ébrio do cheiro forte da terra, deixou-se cair sobre um tufo de ervas.

Bocejando restos de sono, N'teasse, filha de Sigolohla,

avançou lentamente até transpor o limite da povoação. Desinteressada, ajeitou a capulana e espreguiçou-se com um gemido. O mato acolheu-a com uma carícia gélida. Estremeceu. A nuvem de vapor perturbou-se ligeiramente, encrespou e dividiu-se. Depois uniu-se, envolvendo-a. A terra do Goana ainda dormia; os campos, de um amarelo azulado, estavam desertos. Aqui e ali, enormes pirâmides de espigas de milho elevavam-se do seio das machambas.

Com uma lentidão caprichosa, Vírgula Oito levantou-se do chão. N'teasse ria-se nervosamente, com os dentes a faiscar por entre os lábios túrgidos. O seu corpo estremecia sacudido pelas gargalhadas.

De pé, Vírgula Oito fez menção de se atirar sobre a rapariga, que, assustada, fugiu com um grito. Poucos passos volvidos parou e voltou a rir-se, numa provocação. Vírgula Oito avançou. Ela recuou.

— Espera aí...

— Para quê?...

— Espera...

— Não...

Vírgula Oito correu, mas tropeçou e caiu. Com raiva, ouviu o riso excitante da rapariga.

— N'teassê!... — suplicou.

Não podendo conter o riso, a rapariga torcia-se em espasmos. Vírgula Oito levantou-se num salto, e N'teasse fugiu pela machamba.

De gatas, Vírgula Oito arrastou-se cuidadosamente pela estreita passagem entre as micaias. Do outro lado dos arbustos N'teasse espreitava-o, sorridente. Quando Vírgula Oito transpôs a passagem N'teasse esperou que ele se levantasse e voltou a correr, rindo-se em frescas gargalhadas.

Segura entre os braços do homem, N'teasse sorria envergonhada. À intensidade do olhar de Vírgula Oito, baixou os olhos. Embaraçado, o homem afrouxou o braço; a rapariga desprendeu-se com um safanão e fugiu com enormes gargalhadas.

Deitado no capim, Vírgula Oito deslizou com a ajuda dos pés, aproximando-se de N'teasse. Brandindo um pau, a rapariga mantinha-o à distância, sorrindo satisfeita.

— N'teasse... — ameaçou Vírgula Oito, atirando-se para a frente.

O pau caiu pesadamente sobre o ombro do homem. A rapariga soltou uma breve gargalhada. Vírgula Oito tentou segurar o pau, mas N'teasse magoou-lhe os dedos.

— N'teasse...

A rapariga arrastou-se pelo capim, fugindo devagarinho.

Por fim, Vírgula Oito conseguiu segurar o pau. A rapariga puxou. Com o braço livre o homem alcançou-lhe o tornozelo.

Flacidamente, a rapariga lutou para se libertar. Depois cobriu os olhos com as mãos e gemeu baixinho.

Vírgula Oito prendeu entre os lábios a bochecha de
N'teasse. Depois, a força de sucção diminuiu e a carne
escorregou com um estalido sonoro.

Nhinguitimo

— Massinga, nós não podemos fazer nada... Eles levam-
-nos as terras e nós temos de não dizer nada...
Vírgula Oito não respondeu. Sentado num caixote,
mantinha-se de cabeça baixa. Matchumbutana insistiu:
— Tu não te podes zangar, Massinga... Não te deves
zangar...
— Matchumbutana... — Vírgula Oito falava lentamente, titubeante — Matchumbutana... Eu nasci naquela
terra... O meu pai também nasceu lá. Toda a minha família
é do Goana... Os meus avós todos estão lá enterrados...
Maguiguana, o Lodrica tem lojas, tem tractores, tem machambas grandes... Por que é que ele quer o nosso sítio?
Porquê?...
Em volta, o Zedequiel, o Munanga, o Alifaz, o Maguiguana e os outros trabalhadores da machamba do Rodrigues seguiam a conversa, acocorados.
— Eu trabalho aqui, na machamba dele — continuou
Vírgula Oito — eu compro o que preciso na loja dele... A
minha mãe, quando vem cá à vila vai para a loja dele...
— Massinga, deixa lá isso, o Mixadoro é capaz de não
mandar sair ninguém... Se o Padre disse que ia falar com ele
tu não devias pensar assim... — assustado com o tom da
própria voz, o Matchumbutana calou-se de repente.

O condutor meteu a primeira e acelerou. Relutante, o camião avançou, rugindo. No pino da subida o condutor meteu a segunda e o camião hesitou vagamente, antes de rolar, mais dócil, pela picada.

Evitando um monte de sacos, o camião resvalou do trilho, derrapou mas logo se recompôs. Cem metros à frente, já na machamba, parou com um estremecimento.

— Ei rapazes! — gritou o capataz, saltando para o chão — Carregar num instante! Tenho pressa!... Vá!...

Zedequiel deixou cair uma espiga e chamou os companheiros com um gesto. Vírgula Oito continuou acocorado, por detrás de uma pirâmide de milho.

— Onde é que está o Vírgula Oito? — perguntou o capataz — Esse Vírgula parece que anda a querer brincar...

Vírgula Oito aproximou-se:

— Eu está doente, patrão... Dói cabeça... Dói muito...

— Está bem, quando largares podes ficar doente à vontade, mas agora vai ajudar os outros a carregar o camião...

Todo abatido sobre as molas, o camião inverteu o sentido numa manobra trabalhosa e meteu pela picada, gemendo e bufando.

— Zedequiel! Matchumbutana!... Maguiguana! Munanga!... Vocês todos!...

Todos os trabalhadores se aproximaram de Vírgula Oito.

— Vocês digam-me uma coisa: acham que isso do Lodrica está certo?...

Ninguém respondeu. Vírgula Oito dobrou-se sobre o ventre e riu mansamente.

Intrigados, os trabalhadores entreolharam-se.

— Os outros também se encheram de medo... — disse por fim Vírgula Oito, todo sufocado pelo riso — Estão todos com medo...

Surgindo do sul, as nuvens avançavam rapidamente, tingindo o céu de negro.

— Estão todos com medo... Nós vamos ficar sem nada e todos continuam com medo...

O estrondo enorme do primeiro trovão esmagou o riso de Vírgula Oito. Rugindo, o vento trouxe uma nuvem de poeira que envolveu os homens. Vírgula Oito ergueu o olhar e abriu os braços pateticamente.

— É o nhinguitimo!... — gritou alguém.

De braços erguidos, Vírgula Oito explicava ao céu pensamentos que o vento desfazia.

— Massinga!... Massinga!... Virgulô!...

— Nhinguitimo!... — gargalhou Vírgula Oito, cambaleando.

Perfurando nervosamente a poeirada, duas ou três rolas, talvez seis, sobrevoaram os trabalhadores em círculos apertados. Depois do aviso frenético, as rolas rumaram para as grandes florestas do outro lado do rio, fugindo do nhinguitimo.

Nessa noite juro que senti raiva

Lá fora a chuva caía miudinha. Não fazia propriamente frio, mas o tempo estava bastante mais fresco.

— Sete-e-meio real! — gritou alguém a meu lado. Baixei as cartas e procurei mais umas moedas no fundo do bolso.

O Maguiguana entrou antes de eu pousar as moedas na banca. Todo coberto de lodo, espumava e berrava estupidamente. Ao meio da sala, arquejante, anunciou:

— Vírgula Oito ficou maluco patrão!... Matou Zedequiel com Alifaz com Matchumbutana... Também quereu matar eu, mas eu fugiu, correr muito mesmo!... A nós quereu agarrar ele e ele começou matar nós!... Estava falar com céu... A nós queria levar ele para fugir de vento de nhinguitimo...

Todo debruçado por sobre o tampo do balcão frigorífico, o Rodrigues abriu a boca, sem poder emitir qualquer som. Depois falou.

— Homens! Peguem em armas e vamos abater esse negro antes que ele mate mais gente! Vamos depressa antes que aconteça qualquer coisa de muito mau nesta vila!... Meu Deus!...

Pouco depois de eles saírem levantei-me da mesa:

— Vão todos à merda mais a estupidez deste jogo!

Ninguém se preocupou comigo. Saí. Poucos passos tinha dado quando senti a Marta a chapinhar, atrás de mim.

Caramba, como é que é possível haver tipos como eu? Enquanto eu matava rolas e jogava ao sete-e-meio aconteciam uma data de coisas e eu nem me impressionava! Nada, ficava na mesma, fazia que não era comigo...

— Marta! — chamei. A rapariga veio a correr.

Pôça, aquilo tinha que mudar!...

idea
of
not
knowing

ÍNDICE

COLECÇÃO FIXÕES

TÍTULOS PUBLICADOS